Rajeunir
de 10 ans
en 8 semaines

Un programme d'exercices
à la maison pour avoir un corps
plus ferme et être en meilleure forme

97-B, Montée des Bouleaux, Saint-Constant, PQ, Canada J5A 1A9,
Tél.: (450) 638-3338 Téléc.: (450) 638-4338
Internet : http://www.broquet.qc.ca
Courriel : info@broquet.qc.ca

Un livre de Dorling Kindersley
www.dk.com

Catalogage avant publication de Bibliothèque et Archives
nationales du Québec et Bibliothèque et Archives Canada

Pagano, Joan

   Rajeunir de 10 ans en 8 semaines

   Traduction de: 8 weeks to a younger body.

   Comprend un index.

   ISBN 978-2-89000-925-7

   I. Exercice. 2. Longévité. 3. Vieillissement - Préven-
tion. I. Titre. Titre: Huit semaines pour un corps plus jeune.

RA781.P3314 2008   613.7'1   C2007-941760-4

Pour l'aide à la réalisation de son programme éditorial,
l'éditeur remercie:
   Le Gouvernement du Canada par l'entremise du Programme d'Aide au développement de l'industrie de l'édition
(PAIDÉ); La Société de développement des entreprises
cullturelles (SODEC); L'association pour l'exportation du
livre Canadien (AELC).
   Le Gouvernement du Québec - Programme de crédit
d'impôt pour l'édition de livres - Gestion SODEC.

Directrice de projet   Irene Lyford
Directrice artistique du projet   Miranda Harvey
Rédactrice en chef principale   Jennifer Latham
Directrice artistique principale   Peggy Sadler
Directrice de rédaction   Penny Warren
Directrice artistique   Marianne Markham
Éditrice   Gillian Roberts
Directrice de la publicité   Mary-Claire Jerram
Styliste et assistante artistique Vicky Read
Éditique   Sonia Charbonnier
Coordinatrice de production   Rebecca Short

Titre original 8 weeks to a younger body
Copyright © 2007 Dorling Kindersley Limited
Copyright texte © 2007 Joan Pagano

Pour le Québec:
Copyright @ Ottawa 2008 Broquet Inc.
Dépôt légal - Bibliothèque nationale du Québec
1er trimestre 2008

Traduction: André Gil
Révision: Denis Poulet, Marcel Broquet
Infographie: Sandra Martel, Josée Fortin

ISBN: 978-2-89000-925-7

Imprimé à Singapour

TABLE DES MATIÈRES

Prenez un moment pour penser aux perspectives de renaissance qu'offre ce programme… Imaginez ! Vous sentir plus jeune de corps et d'esprit, plus déterminée que jamais pour atteindre vos objectifs !

Avant de
commencer

CE CORPS QUI SE **TRANSFORME...**

Inévitablement, on change. Vous remarquez un petit renflement à la taille qui affecte votre habillement ; vous vous sentez raide quand vous vous réveillez le matin ; vous prenez l'ascenseur plutôt que l'escalier ; votre réflexion dans une vitrine vous montre que votre posture n'est pas vraiment droite. Nous avons toutes connu ces petits moments d'inquiétude alors que nous savions que nous pouvions faire mieux.

Trop vieille pour votre âge ?

Sans exercice régulier, le corps vieillit plus rapidement qu'il le devrait. Ce qui nous rend vieilles, ce sont les limites physiques qui restreignent nos activités. Nous voudrions toutes poursuivre nos activités quotidiennes sans fatigue excessive et en conservant suffisamment d'énergie. Votre capacité de répondre aux exigences physiques de la vie quotidienne reflète l'âge de votre corps, ce qu'on appelle l'âge fonctionnel. Bien que la génétique joue un rôle dans le maintien de la jeunesse du corps, le facteur le plus important est la participation à un programme complet d'exercice physique.

Reculer l'horloge du corps

Vingt ans de travail comme entraîneuse personnelle m'ont convaincue qu'on peut renverser le mouvement de l'horloge du corps. J'ai commencé à m'intéresser à la forme physique quand j'avais 13 ans. C'était par intérêt personnel et professionnel. Mes années sportives à l'école et au collège n'étaient plus que de vagues souvenirs quand j'ai atteint l'âge de 35 ans. Après plusieurs années dans l'industrie très stressante de la restauration à New York, j'avais l'impression d'avoir 45 ans et mon sentiment de bien-être en souffrait. Une amie me suggéra le yoga.

Je ne savais pas à ce moment que je m'engageais dans un chemin qui me mènerait à la croissance personnelle et aussi à un changement de carrière. Je souhaitais apprendre toujours plus vite, et rapidement je devins compétente et décidai de plonger. J'aimais tout : le développement de la force, les étirements, les cours d'aérobique, la course à pied. J'ai commencé à courir sans trop y penser, mais après cinq ans, j'avais complété sept marathons. Craignant toutefois les blessures que peut causer le surentraînement et leurs effets à long terme, j'ai décidé de revenir à un programme d'exercices plus modéré et mieux équilibré. L'assiduité, l'adaptation et la connaissance de ses limites personnelles constituent la clé du succès

L'âge n'est pas un obstacle

Mes clientes m'inspirent et me prouvent qu'une bonne forme donne un avantage. Leur âge varie de 14 à 94 ans, dans des états de forme et de santé très variés. Ce qu'elles possèdent en commun, c'est qu'elles font tout pour maintenir un haut niveau de performance personnelle et qu'elles savent que leur programme d'entraînement est essentiel pour y arriver. Elles sont directrices d'entreprise, étudiantes, mères énergiques, survivantes du cancer ou retraitées, mais toutes se consacrent intensément à leur programme de maintien de la forme.

Revitaliser votre corps

Vous trouverez dans ce livre les outils pour revitaliser votre corps. La première étape consiste à découvrir son âge fonctionnel. On y parvient facilement à la maison en faisant une série de tests simples et en prenant quelques mesures (voir pp. 12-23). Les résultats vous permettront de connaître votre forme physique, et d'évaluer vos forces et vos faiblesses dans trois domaines fondamentaux de l'activité physique : la condition cardiovasculaire, la condition musculaire et la flexibilité. En comparant ces résultats avec ceux de femmes de votre âge, vous saurez où vous vous situez (voir pp. 24-27).

Cette autoévaluation vous permettra de définir un programme sur mesure correspondant à votre présent niveau de forme physique. En le suivant durant huit semaines, vous devriez rajeunir l'âge de votre corps : vous développerez en effet la force de vos muscles, perdrez de la graisse corporelle, gagnerez de la flexibilité et augmenterez votre endurance cardiovasculaire.

L'importance du rajeunissement sera fonction en partie de votre niveau de forme au début du programme. Si ce niveau est inférieur à la moyenne de votre groupe d'âge, c'est au début que vous ferez le plus de progrès. Celles qui sont à un niveau plus élevé que la moyenne peuvent aussi atteindre un meilleur profil de forme et « rajeunir » en atteignant les objectifs fixés pour les groupes d'âge plus jeunes. Plus vous consacrerez de temps à votre programme, plus les résultats seront spectaculaires. Au fur et à mesure que votre forme s'améliorera, vous pourrez vous fixer des objectifs de groupes d'âge plus jeunes et, ainsi, être en mesure de « reculer » d'une décennie.

L'exercice a changé mon corps et ma vie : un programme équilibré d'exercice peut faire la même chose pour vous. L'âge physique, c'est la qualité de la vie ; l'âge chronologique n'est qu'un chiffre.

Pour obtenir le maximum de résultats et prévenir les blessures, il faut faire très attention à la forme et à la posture pendant que l'on s'entraîne.

COMMENT UTILISER CE LIVRE

Conçu pour reculer l'horloge de votre corps grâce à un programme d'exercices personnalisé, ce livre propose une séquence simple qui commence par l'évaluation de votre niveau actuel de forme physique et des exercices de conditionnement que vous faites déjà. Vous pourrez alors comparer votre niveau, révélé par les tests d'évaluation, à celui des femmes de votre groupe d'âge. On vous oriente ensuite vers les programmes de résistance, de flexibilité et de développement cardiovasculaire qui correspondent à vos besoins particuliers.

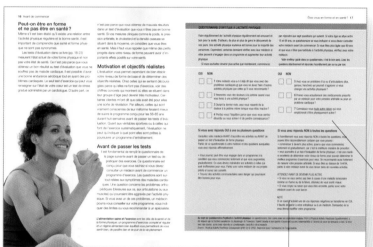

1 La première étape consiste à évaluer votre niveau actuel de forme physique au moyen d'un questionnaire qui déterminera vos habitudes d'exercice, l'état de votre graisse corporelle et tout autre problème de santé qui pourrait affecter votre capacité de commencer un programme d'exercices (voir pp. 12-17).

Le questionnaire en page 13 évalue votre niveau actuel de forme dans trois domaines : cardiaque, force des muscles et flexibilité.

Vos résultats vont aider à préciser vos forces et vos faiblesses, et sur quoi vous concentrer.

2 Nous vous invitons ensuite à passer cinq tests qui vont vous permettre de vous évaluer par rapport à votre groupe d'âge. Les tests couvrent trois domaines : cardiaque (pp. 18-19), force musculaire (pp. 20-21) et flexibilité (pp. 22-23).

Après chaque questionnaire, prenez vos résultats en note. Ici, vous évaluez votre condition cardiaque en prenant votre pouls avant et après un exercice.

OÙ VOUS **SITUEZ-VOUS** ?

Il est très utile d'obtenir des informations objectives sur son niveau initial de forme physique. S'ajoutant aux données médicales sur votre état de santé, votre profil de forme contribuera à définir vos objectifs dans un programme d'exercices. En disposant d'une base, on peut aussi mesurer ses progrès. Fixez-vous des buts réalistes que vous pourrez atteindre, ce qui vous encouragera à persévérer.

Votre niveau relatif

Après avoir complété les cinq tests d'évaluation, consultez à la page suivante les normes qui s'appliquent à votre âge et comparez vos résultats à ces moyennes. Vous découvrirez ainsi votre niveau actuel de forme et vous pourrez vous comparer aux autres femmes de votre âge. En comparant vos résultats aux moyennes, vous identifierez vos forces et vos faiblesses dans chacun des trois domaines de la condition physique, ce qui vous permettra de concevoir un programme parfaitement conforme à vos besoins.

Prenez bien note de votre niveau initial, et après avoir suivi le programme durant huit semaines, passez les tests à nouveau. Vous pourrez alors mesurer vos progrès dans la quête d'un corps plus jeune.

Mais ne vous arrêtez pas là ! Quand vous aurez constaté les effets rajeunissants de l'exercice régulier, vous allez certainement poursuivre, en vous soumettant à nouveau aux tests après chaque période de huit semaines. Par la suite, vous pourrez entamer un programme destiné à des femmes plus jeunes et rehausser le niveau de votre programme.

Comment utiliser les résultats des tests pour définir votre programme de mise en forme

Dans chacun des domaines (cardio, résistance, flexibilité) :

• **si votre résultat correspond à la moyenne,** commencez par le programme conçu pour votre groupe d'âge ;

• **si vous êtes au-dessus de la moyenne,** ou à «**bon**» ou même «**excellent**», commencez par un programme pour un groupe d'âge plus jeune ;

• **si vous êtes en dessous de la moyenne,** ou à «**faible**» ou même «**très faible**», entamez un programme pour femmes plus âgées.

Note : il est possible que votre niveau de forme soit différent selon le domaine. Vous pouvez être au-dessus de la moyenne en cardio et dans la moyenne en résistance, mais sous la moyenne en flexibilité. Dans ce cas, vous suivrez le programme cardio du groupe plus jeune, le programme de résistance pour votre groupe d'âge et celui du groupe plus âgé pour la flexibilité. Si dans les tests de cardio et de résistance vos résultats sont différents, choisissez le plus bas résultat comme base.

	Cardio		Résistance		Flexibilité
	Pouls au repos	Marchepied	Redressement	Pompes	Flexion du tronc
Votre niveau de forme au début du programme					
Votre niveau de forme après 8 semaines					
Votre niveau de forme après 16 semaines					

---

moyennes pour les femmes de 26-35 ans (voir note à la page 27)

	Cardio		Résistance		Flexibilité
NIVEAU DE FORME	Pouls au repos page 18	Marchepied page 19	Redressement page 20	Pompes page 21	Flexion du tronc pages 22-23
EXCELLENT	39–57	58–80	54–70	30–35	23–28
BON	60–62	85–92	44–50	26–29	21–22
AU-DESSUS DE LA MOYENNE	64–66	95–101	37–41	21–25	20
MOYENNE	68–70	104–110	33–36	16–20	18–19
EN DESSOUS DE LA MOYENNE	72–74	113–119	28–32	10–15	16–17
FAIBLE	77–81	122–129	22–26	5–9	14–15
TRÈS FAIBLE	84–102	134–171	7–20	1–4	5–13

moyennes pour les femmes de 36-45 ans (voir note à la page 27)

	Cardio		Résistance		Flexibilité
NIVEAU DE FORME	Pouls au repos page 18	Marchepied page 19	Redressement page 20	Pompes page 21	Flexion du tronc pages 22-23
EXCELLENT	40–58	51–84	54–74	28–33	22–28
BON	61–63	89–96	42–48	23–27	20–21
AU-DESSUS DE LA MOYENNE	65–67	100–104	35–38	18–22	18–19
MOYENNE	69–71	107–112	30–32	13–17	17
EN DESSOUS DE LA MOYENNE	72–75	115–120	23–26	8–12	15–16
FAIBLE	77–81	124–132	19–22	4–7	13–14
TRÈS FAIBLE	83–102	137–169	4–16	1–3	4–12

---

3 Après avoir complété les tests, comparez vos résultats aux normes de votre groupe d'âge. Cela vous permettra de peaufiner votre programme d'exercices pour qu'il corresponde à votre état actuel et d'évaluer vos progrès une fois le programme complété.

Après avoir comparé vos résultats, inscrivez votre niveau de forme dans chaque catégorie de cette grille et déterminez quel programme vous suivrez.

Les résultats dans ce tableau vous permettront de comparer votre score dans chacun des cinq tests aux normes de votre groupe d'âge. Vous saurez si vous êtes dans la moyenne, au-dessus ou au-dessous.

Chaque exercice de résistance est proposé à trois niveaux d'intensité, de sorte que vous puissiez vous entraîner à votre propre rythme.

4 Guidée par les résultats des tests, suivez le programme approprié dans les trois domaines (cardiaque, force musculaire et flexibilité). Puis refaites les tests d'évaluation (voir pp. 18-23) pour constater vos progrès.

Dans certains exercices, on présente dans un encadré une variante plus facile ou plus difficile.

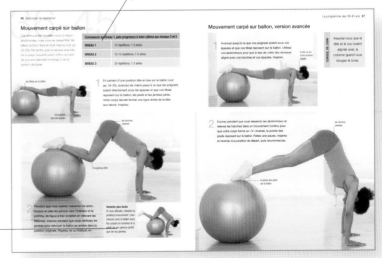

ÊTES-VOUS EN
FORME ET EN SANTÉ ?

Vous êtes tout à fait en mesure de faire des choix de vie positifs qui détermineront votre niveau de forme et votre âge fonctionnel. La bonne forme donne une santé resplendissante ; on se sent bien, on respire la santé et on jouit de la vie. Vous demeurez jeune et enthousiaste malgré l'âge qui avance. Mais est-ce qu'être en forme signifie qu'on est en santé ? Peut-on être en santé et être en mauvaise condition physique ? Dans cette partie, nous nous penchons sur ces questions.

L'endurance cardiovasculaire, la force musculaire, la flexibilité et la composition corporelle sont les aspects de la forme qui sont le plus directement reliés à la santé. Chacune de ces caractéristiques influence directement la santé et le risque de contracter certains types de maladies, entre autres celles qui découlent de l'inactivité.

Les avantages de la forme cardiovasculaire

Un système cardiovasculaire en santé signifie un muscle cardiaque plus fort, un rythme cardiaque plus lent, un moindre risque d'arrêt cardiaque et de meilleures chances de survie si vous en êtes victime. Des exercices d'aérobique réguliers peuvent réduire la pression artérielle et les gras dans le sang, incluant les lipides à basse densité (LDL), ce qui peut vous aider à lutter contre le développement de l'athérosclérose. Ils peuvent aussi augmenter la quantité de lipides à haute densité (HDL), ce qui améliore la circulation sanguine et la capacité du sang à transporter l'oxygène dans le corps. Une meilleure santé cardiaque abaisse aussi le risque de développer certains cancers (côlon et, possiblement, sein et prostate), l'obésité, le diabète, l'ostéoporose, la dépression et l'anxiété.

Force musculaire et endurance

La force musculaire (la capacité de développer une force) et l'endurance (la capacité des muscles de s'activer à répétition) vous permettent de travailler plus efficacement et de résister à la fatigue et à l'endolorissement des muscles, tout en prévenant les maux de dos. Renforcer les muscles et les articulations vous permet d'accroître l'intensité et la durée de votre entraînement cardiovasculaire, d'améliorer vos séances d'aérobic et votre rendement sportif.

Étirements et flexibilité

La capacité d'étirer les muscles et d'utiliser largement les articulations est un autre aspect de la forme musculaire. Les étirements aident à maintenir une bonne posture en corrigeant la tendance de certains muscles à se raccourcir et à se tendre ; ils combattent les facteurs de stress de notre vie quotidienne et libèrent les muscles des tensions.

Que vaut votre programme ?

Un programme d'exercices bien conçu possède une structure définie qui inclut le cardio, le développement de la force et des étirements. Le questionnaire de la page suivante se fonde sur le principe que pour être efficace, un programme doit être pratiqué fréquemment, avec intensité et durant une assez longue période de temps.

La fréquence, c'est-à-dire le nombre de fois que vous effectuez l'exercice, varie d'un minimum de deux jours par semaine (entraînement à la résistance) à aussi souvent que six fois (cardio).

L'intensité (la quantité d'énergie déployée) dépend aussi du type d'exercice, mais en général tout exercice requiert plus d'énergie que d'habitude pour produire des gains.

La durée, c'est-à-dire le temps que l'on consacre à chaque séance d'exercices, varie en fonction de la fréquence et de l'intensité, mais en général, pour être efficace, une séance doit durer au moins 30 minutes.

DONC, VOUS PENSEZ QUE VOUS ÊTES EN FORME...

Vous pouvez croire que vous êtes en forme parce que vous fréquentez un gymnase une ou deux fois par semaine, ou que vous jouez au tennis, mais la véritable forme dépend d'un programme complet d'exercices qui inclut le travail cardiovasculaire, le développement de la force et les étirements.

Pour évaluer votre programme, lisez les questions qui suivent et encerclez les réponses qui décrivent le mieux votre activité physique durant les six ou huit derniers mois. Vos réponses vont aussi révéler des domaines de forme physique que vous avez négligés.

Cardio/aérobie

Inclut la marche rapide, le jogging, la course à pied, le saut à la corde, le vélo, la natation, monter les escaliers, le step, la danse aérobique, l'aérobique dans l'eau, le patinage, le ski de fond, la danse et le kickboxing.

Développement de la force

Inclut les poids et haltères, les appareils de musculation et les bandes d'étirement. Une séance complète devrait inclure de 8 à 10 exercices faisant travailler les principaux ensembles de muscles (jambes, dos, poitrine, épaules, bras, abdomen). Chaque exercice doit être répété de 8 à 10 fois.

Étirements

Inclut le yoga, la méthode Pilates et tout autre type d'étirements statiques effectués lentement et maintenus durant un certain temps. Chaque étirement doit viser certains muscles que vous utilisez durant vos séances d'entraînement, situés dans 8 à 10 parties du corps différentes.

Fréquence

- 5-6 fois par semaine   1
- 3 fois par semaine   2
- moins d'une fois par semaine   3

Fréquence

- 3 séances complètes par semaine   1
- 2 séances complètes par semaine   2
- 1 séance complète par semaine ou moins   3

Fréquence

- 4-7 jours par semaine   1
- 2-3 jours par semaine   2
- 1 jour ou moins par semaine   3

Intensité

- Respiration forte soutenue, transpiration   1
- Respiration modérée et transpiration   2
- Respiration légère sans transpiration   3

Intensité

- Les dernières répétitions sont assez difficiles   1
- Peux répéter l'exercice 12-15 fois   2
- Peux facilement faire 20 répétitions   3

Intensité

- Étirement soutenu et facile du muscle mobilisé   1
- L'articulation s'assouplit graduellement   2
- Tension et douleur   3

Durée

- Plus de 30 minutes par séance   1
- 20-30 minutes par séance   2
- Moins de 10 minutes par séance   3

Durée

- 2-3 séries, 8-12 répétitions par série   1
- 1 série, 12-15 répétitions par série   2
- 1 série, plus de 20 répétitions par série   3

Durée

- 20-30 secondes par étirement   1
- 10-15 secondes par étirement   2
- 5 secondes par étirement   3

Votre pointage

Une fois que vous avez répondu à toutes les questions en encerclant les chiffres qui correspondent à vos réponses, additionnez ces chiffres pour obtenir votre pointage. Situez le résultat dans le barème ci-contre. Notez aussi vos réponses dans chaque catégorie afin de bien identifier vos forces et vos faiblesses. Vous devrez tenir compte de ces informations pour concevoir votre programme. Important : l'objectif, c'est une forme physique générale.

0–9 Vous êtes très active et retirez le maximum de vos activités de conditionnement. Vous êtes prête à un entraînement de niveau supérieur.

10–18 Satisfaisant. Vous respectez les principales recommandations dans les trois catégories. Niveau intermédiaire.

19–27 Inactive. Si vous excellez dans une catégorie mais peinez dans les autres, vous devez rechercher un meilleur équilibre. Si vous ne faites aucun exercice, commencez graduellement et entraînez-vous dans chaque catégorie.

Composition corporelle et santé

Nous voulons toutes un corps mince et harmonieux. C'est souvent l'idéal d'un corps de jeune femme qui nous mène au gymnase, nous fait suivre un programme d'entraînement et surveiller ce que nous mangeons.

Mais la composition et la forme du corps signifient plus que votre apparence; ils sont intimement liées à la forme physique et à la santé. Si vous avez une composition corporelle optimale, où la proportion de masse corporelle maigre est élevée par rapport à la quantité de graisse, vous diminuez vos risques de contracter des maladies qui sont reliées à la manière dont la graisse corporelle est répartie.

Pomme ou poire?

Des études ont démontré qu'un tour de taille large accroît les risques de maladies cardiaques, de haute pression et de diabète, davantage que des hanches ou des cuisses larges. Une taille qui mesure plus de 89 cm (35 po) est considérée comme excessive pour une femme, tandis que pour les hommes, la norme est de 104 cm (41 po). Ce rapport direct entre la forme du corps et la santé est souvent résumé par le concept de «pomme et poire». Une personne qui a tendance

à grossir au milieu est qualifiée de «pomme», alors que celle qui accumule la graisse aux hanches et aux cuisses est considérée comme une «poire». Contrairement aux personnes qui ont trop de graisse dans les hanches et les cuisses, celles qui présentent une silhouette «pomme» sont plus susceptibles de développer des maladies associées à l'obésité abdominale. Bien que votre type morphologique soit héréditaire, vous pouvez diminuer les risques associés à ce phénomène en contrôlant votre poids et en demeurant en forme.

Vérifiez votre ratio taille/hanche

Une autre manière simple de déterminer la distribution de la graisse corporelle dans votre corps consiste à établir votre ratio taille/hanche, qui a aussi un rapport avec les risques de maladies. Voici comment procéder:
1 Mesurez votre taille juste au-dessus du nombril et au-dessous du creux au milieu de la cage thoracique.
2 Mesurez la circonférence maximale de vos fesses (mesure du tour de hanches).
3 Divisez la mesure de la taille par la mesure des hanches pour déterminer le ratio.
Par exemple:

Taille: 76 cm (30 po)

Hanches: 102 cm (40 po)

Ratio taille hanche: 76 ÷ 102 (30 ÷ 40) = 0,75

Les risques pour la santé augmentent quand on a un ratio élevé. Chez les femmes de 20-29 ans, plus de 0,79 est considéré comme élevé; chez celles de 40-59 ans, le seuil est de 0,82, et chez celles de 60-69 ans, de 0,84.

Indice de masse corporelle

Fondé sur le rapport entre le poids et la taille, l'indice de masse corporelle est utilisé pour mesurer les risques du surpoids pour la santé. Cet indice est parfois trompeur, car chez une personne très musclée, les muscles sont plus lourds que la graisse. Le tableau de la page suivante constitue néanmoins un moyen simple et utile de vérifier si votre poids se situe dans une fourchette saine. Si vous découvrez que votre poids peut poser des problèmes de santé, consultez votre médecin.

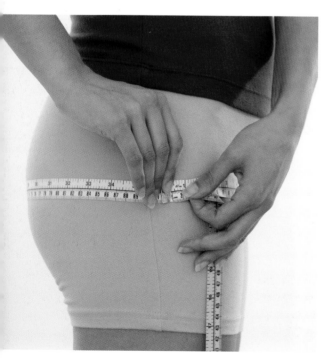

Le ratio taille/hanches est un moyen facile de déterminer si la distribution de la graisse peut poser des problèmes de santé. Divisez votre tour de taille par votre tour de hanches pour trouver le ratio.

ÉVALUEZ VOTRE INDICE DE MASSE CORPORELLE

Trouvez dans la colonne de gauche votre poids (ou le nombre le plus près), puis, sur la ligne qui y correspond, cherchez votre taille. Le chiffre qui apparaît à la jonction des lignes horizontale et verticale indique votre indice de masse corporelle. Pour savoir si votre indice est satisfaisant ou pose problème, consultez le tableau d'évaluation en bas de page.

Poids	Taille 1,47 m (58 po)	1,52 m (60 po)	1,57 m (62 po)	1,62 m (64 po)	1,68 m (66 po)	1,73 m (68 po)	1,78 m (70 po)	1,83 m (72 po)	1,88 m (74 po)	1,93 m (76 po)
54 kg (120 lb)	25	24	22	21	19	18	17	16	15	15
57 kg (125 lb)	26	24	23	22	20	19	18	17	16	15
59 kg (130 lb)	27	25	24	22	21	20	19	18	17	16
61 kg (135 lb)	28	26	25	23	22	21	19	18	17	16
63 kg (140 lb)	29	27	26	24	23	21	20	19	18	17
66 kg (145 lb)	30	28	27	25	23	22	21	20	19	18
68 kg (150 lb)	31	29	28	26	24	23	22	20	19	18
70 kg (155 lb)	32	30	28	27	25	24	22	21	20	19
73 kg (160 lb)	34	31	29	28	26	24	23	22	21	20
75 kg (165 lb)	35	32	30	28	27	25	24	22	21	20
77 kg (170 lb)	36	33	31	29	28	26	24	23	22	21
79 kg (175 lb)	37	34	32	30	28	27	25	24	23	21
82 kg (180 lb)	38	35	33	31	29	27	26	24	23	22
84 kg (185 lb)	39	36	34	32	30	28	27	25	24	23
86 kg (190 lb)	40	37	35	33	31	29	27	26	24	23
88 kg (195 lb)	41	38	36	34	32	30	28	27	25	24
91 kg (200 lb)	42	39	37	34	32	30	29	27	26	24
93 kg (205 lb)	43	40	38	35	33	31	29	28	26	25
95 kg (210 lb)	44	41	39	36	34	32	30	29	27	26
98 kg (215 lb)	45	42	39	37	35	33	31	29	28	26
100 kg (220 lb)	46	43	40	38	36	34	32	30	28	27
102 kg (225 lb)	47	44	41	39	36	34	32	31	29	27
104 kg (230 lb)	48	45	42	40	37	35	33	31	30	28
107 kg (235 lb)	49	46	43	40	38	36	34	32	30	29
109 kg (240 lb)	50	47	44	41	39	37	35	33	31	29
111 kg (245 lb)	51	48	45	42	40	37	35	33	32	30

Que signifie votre résultat ?

En bas de 18,5 : vous êtes trop maigre et vous souffrez peut-être de malnutrition.

De 18,5 à 24,9 : vous avez un poids normal pour votre taille.

De 25 à 29,9 : vous êtes trop lourde, ce qui comporte des risques pour votre santé.

À partir de 30 : vous êtes obèse et c'est très dangereux pour votre santé.

Peut-on être en forme et ne pas être en santé ?

Même s'il est bien établi qu'il existe une relation entre l'activité physique régulière et la bonne santé, il est important de comprendre que santé et forme physique ne sont pas synonymes.

Les tests d'évaluation dans ce livre (pp. 18-23) mesurent l'état actuel de votre forme physique et non pas votre état de santé. Ce n'est pas parce que vous obtenez un bon résultat au test d'évaluation que vous ne souffrez pas de maladie cardiaque. Il est possible d'avoir une bonne endurance aérobique tout en ayant des problèmes cardiaques. Le seul test d'exercice qui peut vous renseigner sur l'état de votre cœur est un test de stress gradué administré par un cardiologue. D'autre part, ce n'est pas parce que vous obtenez de mauvais résultats dans un test d'évaluation que vous n'êtes pas en bonne santé. Si vos mesures cliniques comme le poids, la pression artérielle, le cholestérol et la densité osseuse se situent dans la moyenne, on considère que vous êtes en santé. Mais il faut vous rappeler que même des petits progrès dans votre niveau de forme peuvent avoir d'importants effets positifs sur votre santé.

Motivation et objectifs réalistes

L'évaluation vous permet cependant de bien établir votre niveau de forme de base et de déterminer des objectifs réalistes. Chez celles qui se sentent découragées parce qu'elles ne font pas d'exercice, voir des chiffres concrets qui montrent où elles se situent dans leur groupe d'âge peut devenir très motivateur. Certaines clientes m'ont dit que cela avait été pour elles une sorte de révélation. Par ailleurs, celles qui sont vraiment conscientes de leur méforme feraient mieux de suivre le programme conçu pour les 56-65 ans durant huit semaines avant de passer les tests d'évaluation. Quant aux véritables sportives ou à celles qui font de l'exercice systématiquement, l'évaluation ne peut qu'indiquer à quel point elles sont prêtes à poursuivre un programme d'entraînement.

Avant de passer les tests

Il est fondamental de remplir le questionnaire de la page suivante avant de passer un test ou de pratiquer des exercices. Ce questionnaire est conçu pour que vous sachiez si vous devez consulter un médecin avant de commencer un programme d'exercice. Les questions sont surtout reliées aux symptômes des maladies cardiaques. Une question concerne les problèmes orthopédiques (blessures aux os, aux articulations ou aux muscles) qui pourraient être aggravés par l'activité physique. Si vous avez un de ces problèmes, un médecin pourra vous conseiller sur votre programme, vous indiquer des limites ou vous recommander à un spécialiste.

L'alimentation saine et l'exercice sont les clés de la santé et de la forme physique: un programme d'exercices complet et régulier et un régime alimentaire bien équilibré vous permettront de vous sentir bien, de paraître bien et de jouir de la vie pleinement.

QUESTIONNAIRE D'APTITUDE À L'ACTIVITÉ PHYSIQUE

Faire régulièrement de l'activité physique régulièrement est amusant et bon pour la santé. D'ailleurs, de plus en plus de gens le découvrent de nos jours. Une activité physique soutenue est bonne pour la majorité des personnes. Cependant, certaines devraient vérifier avec leur médecin si elles peuvent s'engager dans un programme et augmenter leur activité physique.

Si vous souhaitez devenir plus active que maintenant, commencez par répondre aux sept questions qui suivent. Si votre âge se situe entre 15 et 69 ans, ce questionnaire va vous indiquer si vous devez consulter votre médecin avant de commencer. Si vous êtes plus âgée que 69 ans et que vous n'êtes pas habituée à l'activité physique, vérifiez avec votre médecin.

Votre meilleur guide dans ce questionnaire, c'est le bon sens. Lisez les questions attentivement et répondez honnêtement par oui ou par non.

OUI   NON

1 Votre médecin vous a-t-il déjà dit que vous avez des problèmes cardiaques et que vous ne devez faire d'autres activités physiques que celles qu'il vous recommande?

2 Ressentez-vous des douleurs à la poitrine quand vous vous livrez à une activité physique?

3 Durant le dernier mois, avez-vous ressenti de la douleur à la poitrine même lorsque vous étiez inactive?

4 Perdez-vous l'équilibre parce que vous vous sentez étourdie ou vous arrive-t-il de perdre connaissance?

OUI   NON

5 Avez-vous un problème d'os ou d'articulations (dos, genoux, hanches) qui pourrait s'aggraver si vous changez vos activités physiques?

6 Prenez-vous actuellement des médicaments prescrits par un médecin pour votre pression artérielle ou pour un problème cardiaque?

7 Connaissez-vous toute autre raison qui vous empêcherait d'être physiquement active?

Si vous avez répondu OUI à une ou plusieurs questions

Consultez votre médecin AVANT d'accroître vos activités ou AVANT de passer un test d'évaluation de forme physique.
Parlez de ce questionnaire à votre médecin et des questions auxquelles vous avez répondu affirmativement.

• Vous pourrez peut-être vous engager dans un programme à la condition que vous commenciez lentement et que vous augmentiez graduellement. Ou vous devrez restreindre vos activités à celles qui sont inoffensives pour vous. Parlez avec votre médecin de vos projets précis et suivez ses conseils.
• Trouvez des activités communautaires sans danger qui pourraient être bonnes pour vous.

Si vous avez répondu NON à toutes les questions

Si honnêtement vous avez répondu NON à toutes les questions, vous pouvez être raisonnablement certaine que vous pouvez:
• commencer à devenir plus active, pourvu que vous commenciez lentement et graduellement, car c'est la meilleure manière de procéder;
• vous soumettre à un test d'évaluation de forme physique; c'est une manière excellente de déterminer votre niveau de forme pour pouvoir déterminer le meilleur programme d'exercices pour vous. On recommande aussi fortement de mesurer votre pression artérielle. Si vous êtes au-dessus de 144/94, parlez à votre médecin avant de vous lancer dans de nouvelles activités.

ATTENDEZ AVANT DE DEVENIR PLUS ACTIVE
• Si vous ne vous sentez pas bien à cause d'une maladie temporaire comme un rhume ou de la fièvre, attendez de vous sentir mieux.
• Si vous croyez ou savez que vous êtes enceinte, parlez avec votre médecin avant de vous lancer.

NOTE
Si en cours d'activité une de vos réponses négatives se transforme en OUI, il faudra en parler à votre entraîneur ou à un médecin. Demandez-lui si vous devrez modifier votre programme.

Au sujet du questionnaire d'aptitude à l'activité physique: ce questionnaire, bien connu sous son abréviation anglaise PAR-Q (Physical Activity Readiness Questionnaire), a été élaboré par la Société canadienne de physiologie de l'exercice. Santé Canada et ses agents n'assument aucune responsabilité à l'endroit de ceux qui passent ce test. Si vous avez des doutes, après avoir répondu au questionnaire, consultez votre médecin.
Source: Physical Activity Readiness Questionnaire (PAR-Q) © 2002. Reproduit avec l'autorisation de l'organisation.

ÉVALUATION DE LA FORME
CARDIOVASCULAIRE

Ces deux façons de mesurer le rythme cardiaque vous donneront une bonne idée de votre forme cardio-vasculaire. Le rythme cardiaque normal quand le corps est au repos est de 60-80 battements à la minute, mais chez les adultes sédentaires et en mauvaise forme, il peut atteindre et dépasser 100 pulsations. Des facteurs de stress comme l'exercice, l'anxiété et la caféine accroissent aussi le rythme cardiaque. Le test du marchepied mesure la réaction de votre cœur à l'effort. Au fur et à mesure que votre forme s'améliorera, vous pourrez accroître la fréquence des exercices à un rythme cardiaque sensiblement plus bas.

Rythme du cœur au repos

Un cœur en santé peut pomper plus de sang à chaque battement, ce qui ralentit le rythme autant durant l'activité physique qu'au repos. Pour bien mesurer le rythme au repos, il faut attendre après une période de repos. Commencez à zéro pour le premier battement et comptez les battements pendant 30 secondes, puis multipliez par deux pour avoir le nombre de battements par minute.

Votre résultat
Inscrivez le résultat ici et allez aux pages 24-27.

Prendre son pouls au poignet (pouls radial) Placez votre index et votre auriculaire sur le poignet ouvert du bras opposé, juste avant la naissance du pouce.

Prendre son pouls au cou (pouls de la carotide) Prenez votre pouls sur le cou en plaçant les deux doigts juste sous l'os de la mâchoire sur le côté du larynx.

Test du marchepied

Ce test de trois minutes mesure votre niveau de forme cardiovasculaire en faisant une moyenne entre le rythme cardiaque durant l'exercice et à la récupération. Après un exercice, votre rythme cardiaque commence à revenir à la normale. Meilleure est votre forme, plus rapide est la récupération après l'exercice. Pour ce test, vous avez besoin d'un marchepied ou d'un banc de 30 cm (12 po) de haut et d'une montre qui indique les secondes. Si vous vous sentez étourdie ou nauséeuse en faisant cet exercice, cessez immédiatement. Ne faites pas ce test si vous avez de sérieux problèmes d'équilibre.

Votre résultat
Inscrivez le résultat ici et allez aux pages 24-27.

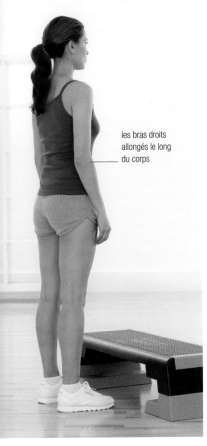

les bras droits allongés le long du corps

posez le pied au centre de la plateforme

vérifiez votre pouls sur la carotide durant une minute

1 Tenez-vous près du marchepied. Pour adopter le rythme correct, mesurez 24 cycles par minute. Un cycle = pied droit, puis pied gauche sur le marchepied, ensuite pied droit, puis pied gauche sur le sol.

2 Commencez par le pied droit, que vous poserez entier sur la surface. En descendant, posez d'abord le pied sur la pointe, puis appuyez le talon sur le plancher. Essayez de ne pas bloquer vos genoux en montant et en descendant.

3 Cessez l'exercice après trois minutes exactement. Assoyez-vous et posez vos doigts sur la carotide. Commencez tout de suite à compter durant une minute. Le résultat est votre pouls à la minute.

TESTS DE **RÉSISTANCE**

Ces tests évaluent votre endurance musculaire, c'est-à-dire combien de fois vos muscles peuvent se contracter avant de se fatiguer. Quand le corps vieillit, les muscles sont moins utilisés et deviennent faibles, ce qui limite votre capacité de soulever, de porter, de pousser et de tirer des charges dans vos activités quotidiennes. En développant votre force musculaire, vous augmentez votre endurance et votre capacité d'effort, ce qui recule l'horloge de votre corps.

Test du redressement

Ce test qui consiste à relever la tête et les épaules à une hauteur maximale de 30 degrés par rapport au sol mesure l'endurance des muscles abdominaux, très importants pour la stabilité. Vous devez étendre vos bras le long du corps pour que le mouvement soit constant. Avant le test, posez vos mains à 9 cm (3 ½ po) de l'extrémité du matelas et réglez une minuterie à une minute.

Votre résultat
Inscrivez le résultat ici et allez aux pages 24-27.

les mains à 9 cm (3 ½ po) de l'extrémité du matelas

1 Allongez-vous sur le dos, les genoux pliés à 90 degrés et les pieds bien à plat sur le plancher. Les bras reposent sur les côtés, paumes sur le matelas et mains à 9 cm (3 ½ po) de l'extrémité du matelas.

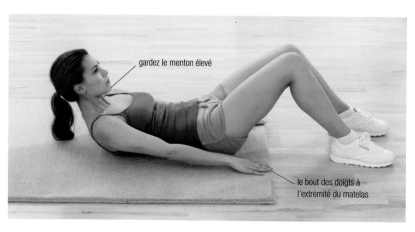

gardez le menton élevé

le bout des doigts à l'extrémité du matelas

2 Contractez vos abdominaux et relevez-vous en glissant vos doigts vers l'extrémité du matelas. Revenez à la position initiale et répétez aussi souvent que vous le pouvez durant une minute. Inscrivez votre résultat dans le petit cadre ci-dessus.

Test des pompes

Ce test mesure l'endurance du haut de la poitrine, des épaules et des triceps. Vous devez adopter une position modifiée par rapport aux pompes classiques, en vous servant de vos genoux comme pivots (même si vous êtes capable de faire des pompes classiques). Pas de limite de temps pour ce test, effectuez-en le plus possible tant que vous vous sentez bien. Servez-vous de vos abdominaux pour tenir votre dos droit quand vous baissez la poitrine vers le plancher.

Votre résultat
Inscrivez le résultat ici et allez aux pages 24-27.

1 Agenouillez-vous sur le matelas, les mains écartées de la largeur des épaules et légèrement en avant des épaules. Le bas des jambes repose sur le matelas. Déplacez votre poids vers l'avant pour qu'il n'y ait pas de pression directe sur les rotules.

gardez le dos droit

pas de pression directe sur les rotules

2 Respirez en pliant les coudes et en abaissant votre poitrine jusqu'à ce que votre menton touche au matelas. Expirez en revenant à la position de départ. Répétez autant de fois que possible et inscrivez votre résultat dans le petit cadre ci-dessus.

TEST DE **FLEXIBILITÉ**

Au sens strict, on peut dire que la flexibilité est l'amplitude du mouvement des articulations. Cette amplitude est déterminée par l'architecture de l'articulation (la forme des os et du cartilage) et la longueur des muscles et des ligaments en travers. Si l'amplitude est limitée de telle sorte que l'articulation ne peut se plier ou se raidir, on dit qu'elle est étroite ou rigide. La rigidité est associée à la vieillesse parce qu'elle affecte notre apparence, la façon dont nous nous sentons et notre manière de marcher.

Test de flexion du tronc

Bien qu'il n'existe pas de mesure précise de la flexibilité générale du corps, on utilise souvent ce test dans les évaluations. Il évalue la souplesse des muscles ischio-jambiers des cuisses et, à un moindre degré, la flexibilité du bas du dos. En exécutant ce mouvement, prenez note de l'extension et du mouvement de votre colonne. Une colonne flexible courbe avec fluidité à partir du bas du dos jusqu'au haut. Si vous bloquez en vous penchant vers l'avant, vous devriez entreprendre un programme d'étirements pour le bas du dos et les ischio-jambiers.

En suivant le programme d'étirements présenté dans les pages 122 à 129, vous augmenterez votre flexibilité et améliorerez vos résultats. Pour réduire les risques d'étirement des muscles, échauffez-vous bien auparavant en marchant quelques minutes ou en marchant sur place. Puis faites des étirements tels que décrits à l'étape 1 ci-dessous ou encore l'exercice décrit en page 124.

Votre résultat
Inscrivez le résultat ici et allez aux pages 24-27.

1 En guise d'étirements avant le test, assoyez-vous par terre, étendez la jambe droite et pliez la gauche, le poids du torse reposant sur la cuisse gauche. Pressez fermement le genou droit vers le bas et abaissez le bassin vers l'avant. Maintenez 20 à 30 secondes, puis changez de côté et répétez.

abaissez le bassin

pressez fermement le genou

2 Placez un mètre à ruban sur le matelas, la marque de 38 cm (15 po) à l'extrémité du matelas, le 0 de votre côté. Assoyez-vous droit, les talons posés à la limite du matelas et écartés de 30 cm (12 po). Étirez les bras vers le mètre à ruban, les mains l'une sur l'autre de façon à ce que les deux majeurs soient alignés parfaitement.

les talons à la limite du matelas

la marque de 38 cm à l'extrémité du matelas

3 Inspirez, puis, en expirant, baissez la tête entre vos bras, et lentement étirez les bras jusqu'à la marque sur le mètre à ruban. Maintenez 2 secondes, puis répétez. Inscrivez votre meilleur résultat dans la boîte à la page précédente.

gardez les genoux droits

prenez note de la distance atteinte par vos doigts

OÙ VOUS **SITUEZ-VOUS ?**

Il est très utile d'obtenir des informations objectives sur son niveau initial de forme physique. S'ajoutant aux données médicales sur votre état de santé, votre profil de forme contribuera à définir vos objectifs dans un programme d'exercices. En disposant d'une base, on peut aussi mesurer les progrès. Fixez-vous des buts réalistes que vous pourrez atteindre, ce qui vous encouragera à persévérer.

Votre niveau relatif

Après avoir complété les cinq tests d'évaluation, consultez à la page suivante les normes qui s'appliquent à votre âge et comparez vos résultats à ces moyennes. Vous découvrirez ainsi votre niveau actuel de forme et vous pourrez vous comparer aux autres femmes de votre âge. En comparant vos résultats aux moyennes, vous identifierez vos forces et vos faiblesses dans chacun des trois domaines de la condition physique, ce qui vous permettra de concevoir un programme parfaitement conforme à vos besoins.

Prenez bien note de votre niveau initial, et après avoir suivi le programme durant huit semaines, passez les tests à nouveau. Vous pourrez alors mesurer vos progrès dans la quête d'un corps plus jeune.

Mais ne vous arrêtez pas là! Quand vous aurez constaté les effets rajeunissants de l'exercice régulier, vous allez certainement poursuivre, en vous soumettant à nouveau aux tests après chaque période de huit semaines. Par la suite, vous pourrez entamer un programme destiné à des femmes plus jeunes et rehausser le niveau de votre programme.

Comment utiliser les résultats des tests pour définir votre programme de mise en forme

Dans chacun des domaines (cardio, résistance, flexibilité) :

• **si votre résultat correspond à la moyenne,** commencez par le programme conçu pour votre groupe d'âge ;

• **si vous êtes au-dessus de la moyenne,** ou à « **bon** » ou même « **excellent** », commencez par un programme pour un groupe d'âge plus jeune ;

• **si vous êtes en dessous de la moyenne,** ou à « **faible** » ou même « **très faible** », entamez un programme pour femmes plus âgées.

Note : il est possible que votre niveau de forme soit différent selon le domaine. Vous pouvez être au-dessus de la moyenne en cardio et dans la moyenne en résistance, mais sous la moyenne en flexibilité. Dans ce cas, vous suivrez le programme cardio du groupe plus jeune, le programme de résistance pour votre groupe d'âge et celui du groupe plus âgé pour la flexibilité. Si dans les tests de cardio et de résistance vos résultats sont différents, choisissez le plus bas résultat comme base.

	Cardio		Résistance		Flexibilité
	Pouls au repos	Marchepied	Redressement	Pompes	Flexion du tronc
Votre niveau de forme au début du programme					
Votre niveau de forme après 8 semaines					
Votre niveau de forme après 16 semaines					

26-35   moyennes pour les femmes de 26-35 ans (voir note à la page 27)

NIVEAU DE FORME	Cardio		Résistance		Flexibilité
	Pouls au repos page 18	Marchepied page 19	Redressement page 20	Pompes page 21	Flexion du tronc pages 22–23
EXCELLENT	39–57	58–80	54–70	30–35	23–28
BON	60–62	85–92	44–50	26–29	21–22
AU-DESSUS DE LA MOYENNE	64–66	95–101	37–41	21–25	20
MOYENNE	68–70	104–110	33–36	16–20	18–19
EN DESSOUS DE LA MOYENNE	72–74	113–119	28–32	10–15	16–17
FAIBLE	77–81	122–129	22–26	5–9	14–15
TRÈS FAIBLE	84–102	134–171	7–20	1–4	5–13

36-45   moyennes pour les femmes de 36-45 ans (voir note à la page 27)

NIVEAU DE FORME	Cardio		Résistance		Flexibilité
	Pouls au repos page 18	Marchepied page 19	Redressement page 20	Pompes page 21	Flexion du tronc pages 22–23
EXCELLENT	40–58	51–84	54–74	28–33	22–28
BON	61–63	89–96	42–48	23–27	20–21
AU-DESSUS DE LA MOYENNE	65–67	100–104	35–38	18–22	18–19
MOYENNE	69–71	107–112	30–32	13–17	17
EN DESSOUS DE LA MOYENNE	72–75	115–120	23–28	8–12	15–16
FAIBLE	77–81	124–132	19–22	4–7	13–14
TRÈS FAIBLE	83–102	137–169	4–16	1–3	4–12

46-55 moyennes pour les femmes de 46-55 ans (voir note à la page 27)

NIVEAU DE FORME	Cardio		Résistance		Flexibilité
	Pouls au repos page 18	Marchepied page 19	Redressement page 20	Pompes page 21	Flexion du tronc pages 22–23
EXCELLENT	43–58	63–91	48–73	26–30	21–27
BON	61–64	95–101	37–44	21–25	19–20
AU-DESSUS DE LA MOYENNE	65–69	104–110	33–36	16–20	17–18
MOYENNE	70–72	113–118	30–32	11–15	16
EN DESSOUS DE LA MOYENNE	73–76	120–124	25–28	6–10	14
FAIBLE	77–82	126–132	19–23	3–5	12–13
TRÈS FAIBLE	85–104	137–171	2–13	1–2	3–10

56-65 moyennes pour les femmes de 56-65 ans (voir note à la page 27)

NIVEAU DE FORME	Cardio		Résistance		Flexibilité
	Pouls au repos page 18	Marchepied page 19	Redressement page 20	Pompes page 21	Flexion du tronc pages 22–23
EXCELLENT	42–59	60–92	44–63	22–26	20–26
BON	61–64	97–103	35–42	17–21	18–19
AU-DESSUS DE LA MOYENNE	65–68	106–111	27–32	12–16	16–17
MOYENNE	69–72	113–118	23–25	7–11	15
EN DESSOUS DE LA MOYENNE	73–77	119–127	18–22	5–6	13–14
FAIBLE	79–81	129–135	11–15	3–4	10–12
TRÈS FAIBLE	84–103	141–174	1–8	1–2	2–9

Maintenir la forme

Si vous êtes satisfaite de votre routine d'exercices actuelle et du temps et de l'effort que vous y consacrez, vous pourrez vous en contenter un certain temps. Le problème, c'est que le corps s'adapte au niveau des exercices ; vous aurez donc à modifier périodiquement votre programme si vous souhaitez faire encore des progrès. Si votre objectif est de maintenir votre niveau de forme, nous vous recommandons après 12 semaines de choisir un programme différent dans au moins un des domaines (cardio, résistance, flexibilité). Continuez à inclure un nouvel élément toutes les 12 semaines.

Note : les normes pour les niveaux de forme ont été établies par le YMCA à partir des résultats de leurs membres (voir page 160). Les normes pour les pompes sont des approximations établies à partir de statistiques de plusieurs organisations.

Comparer vos résultats à la moyenne pour votre âge vous permet de concevoir un programme taillé sur mesure pour votre niveau actuel de forme physique.

Le cas de Lucy

Lucy, 53 ans, est une adepte avancée du yoga qu'elle pratique depuis dix ans. Or, elle se sent aujourd'hui moins agile, elle a gagné un peu de poids autour de la taille et elle craint que son niveau de cholestérol augmente.

Comme on pouvait s'y attendre, Lucy a obtenu de bons résultats en flexibilité, mais elle a fait la moyenne en résistance et sous la moyenne en cardio. Elle va donc débuter par le programme d'étirements des 36-45 ans avec le ballon d'équilibre. Elle aime bien ce programme, car il a quelques similitudes avec le yoga tout en étirant les muscles différemment ; il inclut aussi plusieurs exercices pour étirer le torse, là précisément où elle sent un peu de rigidité.

Comme son résultat est dans la moyenne pour la résistance, elle fera les exercices conçus pour son âge, qui font surtout appel au marche-pied. Ses muscles s'en trouveront stimulés et sa forme cardiovasculaire, améliorée. Pour son programme principal de cardio, elle va adopter le programme de marche des 56-65 et progresser vers un programme pour plus jeunes. Ce travail sur le cœur va certainement réduire son taux de mauvais cholestérol et, associé à des entraînements de force, contribuer à réduire son excédent de poids.

LES MUSCLES ET **L'EXERCICE**

Si vous connaissez le muscle qui travaille pendant un exercice, vous pouvez optimiser votre effort en vous concentrant mentalement sur ce muscle. Cela vous aidera à effectuer le mouvement et augmentera la conscience de votre corps. Les illustrations et le glossaire qui les accompagne vous aideront à déterminer des endroits précis sur lesquels travailler. Souvenez-vous cependant que dans un programme équilibré, vous devez faire travailler tous les groupes de muscles importants.

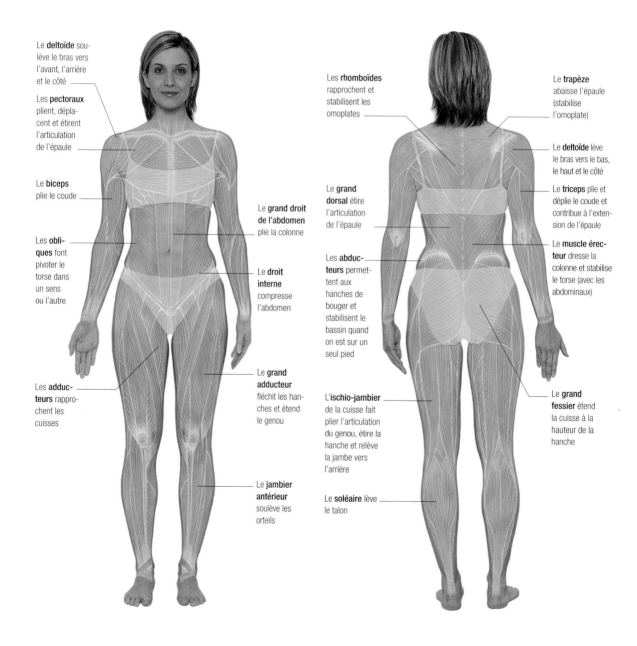

Le **deltoïde** soulève le bras vers l'avant, l'arrière et le côté

Les **pectoraux** plient, déplacent et étirent l'articulation de l'épaule

Le **biceps** plie le coude

Les **obliques** font pivoter le torse dans un sens ou l'autre

Les **adducteurs** rapprochent les cuisses

Le **grand droit de l'abdomen** plie la colonne

Le **droit interne** compresse l'abdomen

Le **grand adducteur** fléchit les hanches et étend le genou

Le **jambier antérieur** soulève les orteils

Les **rhomboïdes** rapprochent et stabilisent les omoplates

Le **grand dorsal** étire l'articulation de l'épaule

Les **abducteurs** permettent aux hanches de bouger et stabilisent le bassin quand on est sur un seul pied

L'**ischio-jambier** de la cuisse fait plier l'articulation du genou, étire la hanche et relève la jambe vers l'arrière

Le **soléaire** lève le talon

Le **trapèze** abaisse l'épaule (stabilise l'omoplate)

Le **deltoïde** lève le bras vers le bas, le haut et le côté

Le **triceps** plie et déplie le coude et contribue à l'extension de l'épaule

Le **muscle érecteur** dresse la colonne et stabilise le torse (avec les abdominaux)

Le **grand fessier** étend la cuisse à la hauteur de la hanche

Les muscles et les exercices qui les font travailler

Abducteurs (extérieur des cuisses)
Élévation arrière de la jambe, p. 107
Flexion de côté avec élévation du genou, p. 87
Flexion latérale avec haltères, p. 66
Flexion légère avec développé au-dessus
de la tête, pp. 104-105
Horloge de l'équilibre, p. 65
Pas en puissance, p. 45

Adducteurs (intérieur des cuisses)
Élévation arrière des jambes sur ballon, p. 88
Flexion de côté avec élévation du genou, p. 87
Flexion latérale avec haltères, p. 66
Plié avec élévation des épaules, p. 108

Biceps (devant le haut des bras)
Au marchepied avec flexion des biceps, p. 61
Flexion concentrée, p. 114
Flexion des biceps, p. 93
Flexion double des biceps, p. 54

Deltoïdes (épaules : devant, milieu, arrière)
Élévation des épaules, pp. 72-73
Élévation du genou avec projection
des bras vers le haut, p. 67
Flexion légère avec développé au-dessus
de la tête, pp. 104-105
Flexion/extension des épaules, p. 53
Papillon arrière/extension des épaules,
pp. 110-111
Plié avec élévation des épaules, p. 108

Droit interne (abdominaux profonds)
Bascule du bassin, p. 122
Mouvement carpé sur ballon, pp. 96-97
Planche et fléchissement du genou, p. 79
Pousser/tirer le ballon, p. 95
Tortue sur le dos, p. 78

Grand dorsal
Contraction du grand dorsal, p. 51
Flexion/extension des épaules, p. 53
Papillon arrière/extension des épaules,
pp. 110-111
Pull-over, p. 90
Ramer à une main, p. 71
Ramer en position assise, p. 89
Ramer en position penchée, p. 109

Grand droit de l'abdomen
Déroulement vers le sol, p. 56
Mouvement carpé sur ballon, pp. 96-97
Redressement avec pédalage, p. 77
Redressement avec torsion, p. 94
Redressement complet, p. 115
Redressement de base, p. 57

Torsion du torse avec haltère,
version avancée, p. 117

Grand fessier
Au marchepied, pp. 58-64
Allongement croisé/intermédiaire, p. 49
Combiné fente/flexion des jambes, pp. 46-47
Élévation arrière de la jambe, p. 107
Élévation arrière des jambes sur ballon, p. 88
Élévation du genou avec projection des bras
vers le haut, p. 67
Fente avant avec ballon, p. 86
Fente et flexion, pp. 68-69
Fentes, pp. 98-103
Flexion des jambes en appui sur ballon, p. 85
Flexion latérale avec élévation du genou, p. 87
Flexion latérale avec haltères, p. 66
Flexion légère avec développé au-dessus
de la tête, pp. 104-105
Horloge de l'équilibre, p. 65
Lever de chaise éclair, p. 44
Plié avec élévation des épaules, p. 108
Soulevé de terre, p. 106

Groupe érecteur
Allongement croisé/intermédiaire, p. 49
Coup de pied arrière, p. 113
Élévation arrière de la jambe, p. 107
Élévation arrière des jambes sur ballon, p. 88
Fente avant avec ballon, p. 86
Mouvement carpé sur ballon, pp. 96-97
Papillon arrière/extension des épaules,
pp. 110-111
Planche et fléchissement du genou, p. 79
Pousser/tirer le ballon, p. 95
Ramer en position penchée, p. 109
Soulevé de terre, p. 106

Ischio-jambiers (arrière des cuisses)
Combiné fente/flexion des jambes, pp. 46-47
Élévation arrière de la jambe, p. 107
Élévation arrière des jambes sur ballon, p. 88
Fente avant avec ballon, p. 86
Fente et flexion, pp. 68-69
Fentes, pp. 98-103
Flexion des jambes en appui sur ballon, p. 85
Flexion latérale avec élévation du genou, p. 87
Flexion légère avec développé au-dessus
de la tête, pp. 104-105
Horloge de l'équilibre, p. 65
Lever de chaise éclair, p. 44
Soulevé de terre, p. 106

Jambier antérieur (devant le tibia)
Élévation mollet/orteils, p. 50
Marche sur les talons, p. 146

Obliques (de chaque côté de la taille)
Mouvement carpé sur ballon, pp. 96-97
Planche et fléchissement du genou, p. 79
Pousser/tirer le ballon, p. 95
Redressement avec pédalage, p. 77
Redressement avec torsion, p. 94
Torsion du torse avec haltère, pp. 116-117
Tortue sur le dos, p. 78

Pectoraux (buste)
Développé en alternance, p. 91
Développé incliné, p. 52
Flexion/extension des épaules, p. 53
Papillon arrière/extension des épaules,
pp. 110-111
Papillon, p. 75
Pompe modifiée, p. 74
Pompes à genoux, p. 112
Pull-over, p. 90

Quadriceps (devant des cuisses)
Allongement croisé/intermédiaire, p. 49
Au marchepied, pp. 58-64
Combiné fente/flexion des jambes, pp. 46-47
Élévation du genou avec projection
des bras vers le haut, p. 67
Fente avant avec ballon, p. 86
Fente et flexion, pp. 68-69
Fentes, pp. 98-103
Flexion des jambes en appui sur ballon, p. 85
Flexion latérale avec élévation du genou, p. 87
Flexion latérale avec haltères, p. 66
Horloge de l'équilibre, p. 65
Lever de chaise éclair, p. 44
Plié avec élévation des épaules, p. 108

Rhomboïdes et trapèze (entre les omoplates)
Contraction du grand dorsal, p. 51
Descente avec les triceps, p. 76
Élévation du genou avec projection
des bras vers le haut, p. 67
Poussée des triceps vers le bas, p. 55
Ramer à une main, p. 71
Ramer en position assise, p. 89
Ramer en position penchée, p. 109

Soléaire (mollet)
Élévation du mollet, p. 70
Élévation mollet/orteils, p. 50
Marche sur les orteils, p. 146

Triceps (arrière du haut des bras)
Coup de pied arrière, p. 113
Descente avec les triceps, p. 76
Extension du triceps, p. 92
Poussée des triceps vers le bas, p. 55

Les exercices de musculation sculptent votre silhouette et renforcent les os. En produisant de la masse corporelle maigre, ils améliorent votre métabolisme et augmentent votre niveau d'énergie. Vous pourrez ainsi mieux résister au ralentissement qui arrive avec l'âge.

Exercices de
résistance

L'ÉQUIPEMENT

Tout les accessoires que j'ai choisis pour ce programme, soit les bandes d'étirement, le ballon d'équilibre, le marchepied et les haltères courts, peuvent être utilisés à la maison. Chaque accessoire possède ses avantages, et ensemble, ils constituent un véritable gymnase à domicile. Ils sont faciles à ranger et permettent une grande variété d'exercices. Je vous recommande aussi un matelas d'exercice pour plus de confort et une meilleure traction.

Que porter pour s'entraîner?

Choisissez des vêtements et des chaussures qui facilitent le mouvement dans toutes les directions et favorisent un bon équilibre. Les chaussures de cross-country conviennent bien aux exercices de résistance. Par contre, les chaussures de marche ou de course conçues pour faciliter les mouvements d'arrière en avant ne sont pas appropriées. (Voir à la page 116 pour d'autres conseils sur les chaussures de marche et de course)

Les bandes d'étirement

Les bandes d'étirement sont des accessoires vraiment faciles à transporter pour les exercices de résistance. Vous pouvez les utiliser dans un programme complet (voir pages 44-57) ou comme accessoires complémentaires à des exercices avec haltères courts quand vous voulez travailler différemment sur un muscle particulier. Par exemple, si vous voulez développer vos triceps, effectuez l'exercice de votre groupe d'âge, puis ajoutez un autre exercice avec une bande d'étirement.

La résistance de la bande est déterminée par son épaisseur et est indiquée par sa couleur. Les couleurs varient selon les marques. Procurez-vous un paquet de trois bandes (légère, moyenne et lourde) ou au moins deux : légère et moyenne si vous êtes une débutante, moyenne et lourde si vous avez un peu d'expérience.

L'utilisation peut paraître compliquée au début, mais il vaut la peine de se familiariser avec cet équipement. Comme la résistance est maximale à la fin d'un mouvement, essayez chaque exercice sans bande pour évaluer votre seuil de douleur. Installez la bande avec précaution avant de commencer l'exercice, et pendant que vous travaillez, maintenez sa largeur pour qu'elle ne glisse pas.

Pour maintenir vos bandes d'étirement en bon état et préserver leur élasticité, rangez-les à plat dans un sac

Utilisation des bandes d'étirement

Les bandes d'étirement sont généralement longues de 90 cm (3 pi) ou de 1,2 m (4 pi). La plus longue est plus polyvalente, mais la plus courte est plus facile d'utilisation si vous l'attachez en boucle.

Tenir la bande

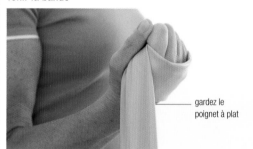

gardez le poignet à plat

Pour agripper la bande, entourez-la complètement autour de la main. Quand vous tirez, maintenez la largeur de la bande et assurez-vous que votre poignet reste en position neutre.

Autour des jambes

Faites une demi-boucle en laissant un bout plus long. Vérifiez que la bande soit bien attachée avant de commencer. Si vous avez la peau sensible, portez des bas ou des leggings pour prévenir toute irritation.

en plastique et de temps en temps saupoudrez-les de poudre de talc. N'oubliez pas de défaire les nœuds avant de ranger les bandes. Avec le temps, les bandes vont s'user, devenant râpeuses au toucher ; des petits trous ou des marques d'usure peuvent apparaître, susceptibles de causer leur rupture quand on s'en sert. Inspectez-les régulièrement pour déceler ces signes d'usure.

Avertissement : si vous souffrez d'une blessure au poignet causée par la répétition de mouvements (syndrome du tunnel carpien), ne faites que des exercices recommandés par un médecin ou un spécialiste. Si vous souffrez de haute pression, diminuez la résistance dans le cadre d'un programme supervisé.

Le marchepied

Le marchepied ne fait pas partie des accessoires qui développent la résistance, mais il offre de nombreux avantages : il contribuera à augmenter votre endurance cardiaque, à développer votre coordination et à conserver vos os en santé. Vous pouvez monter et descendre pendant plusieurs minutes consécutives en guise d'entraînement aérobique, et parce que cet accessoire intervient dans le test du marchepied (voir p. 19), c'est la meilleure façon d'améliorer vos résultats à ce test. Vous pouvez aussi faire des exercices de marchepied en guise d'intervalles de 2-3 minutes dans un entraînement de musculation ; le but est de maintenir le rythme cardiaque élevé durant au moins 30 minutes.

Les exercices qui modifient votre routine au marchepied (par exemple, Alterner le pied d'appel, p. 60) ou qui combinent les mouvements du haut et du bas du corps (Au marchepied avec flexion des coudes, p. 61) aideront à développer votre coordination en induisant de nouveaux réflexes neuromusculaires, car votre esprit et votre corps doivent s'associer pour maîtriser les mouvements.

Les exercices au marchepied peuvent être intensifs tout en ayant peu d'impact ; ils sont sûrs et efficaces, maximisant leurs effets sur les os et réduisant au minimum la tension des articulations. L'intensité de chaque exercice dépend de la hauteur de la plateforme, de la vitesse des mouvements et des poids utilisés.

Plusieurs modèles de marchepied d'exercice se règlent à diverses hauteurs ; la surface des plateformes peut aussi varier. Certains sont compacts de façon à faciliter le rangement, d'autres sont plus volumineux, ce qui permet de les

La bonne posture au marchepied

regardez droit devant

mobilisez vos abdominaux pour maintenir votre torse droit

le genou au-dessus du pied

le pied totalement à plat sur la plateforme

Tenez-vous près de la plateforme et posez le pied au complet au centre. Descendez en posant la pointe du pied sur le sol en premier, puis le talon. Évitez de plier le genou à plus de 90 degrés quand vous utilisez des haltères. Faites attention de ne pas bloquer les genoux.

utiliser comme banc d'exercice avec des poids et haltères. Choisissez un marchepied de 15-30 cm (6-12 po). Le test du marchepied requiert une hauteur de 30 cm (12 po) même si vous n'utiliserez pas cette hauteur dans vos entraînements. Si vous débutez, choisissez une hauteur de 15-20 cm (6-8 po). Faites bien attention en assemblant le marchepied et assurez-vous qu'il soit bien stable avant de commencer.

Avertissement : si vous avez des problèmes de dos ou de genou, faites des essais à faible hauteur et à vitesse lente sans haltères. Si vous avez de sérieux problèmes d'équilibre, choisissez un autre exercice.

Le ballon d'équilibre

Le ballon d'équilibre, qu'on appelle aussi ballon suisse, ballon d'exercice ou ballon de stabilité, offre plusieurs avantages pour un programme d'exercices à domicile : il contribue à la stabilité de la posture et du tronc, au contrôle de la motricité, à l'équilibre et à la coordination, et aux étirements. Les ballons se présentent en plusieurs volumes différents, désignés par une couleur distinctive, qui varie selon les fabricants. Votre ballon devrait correspondre à votre morphologie. Quand vous êtes assise sur le ballon,

vos hanches et vos genoux devraient être pliés à 90 degrés, alors que vos pieds sont à plat sur le sol. Si vous avez de longues jambes ou que vous êtes corpulente, vous aurez peut-être besoin d'un plus gros ballon. Voici un guide pour choisir un ballon qui correspond à votre taille :

- 1,4 m-1,5 m (55-60 po) ballon de 45 cm (18 po)
- 1,5 m-1,7m (61-66 po) ballon de 55cm (22 po)
- 1,7 m-1,8 m (67-73 po) ballon de 65 cm (26 po)
- 1,8 m-2 m (74-80 po) ballon de 75 cm (30 po)
- plus de 2 m (81 po) ballon de 85 cm (34 po)

Sur le ballon

Avant de vous entraîner avec un ballon d'équilibre, vous devrez maîtriser la position assise (en bas à gauche) ; pratiquez ensuite la position sur le ventre et celle du pont ; suivez la même séquence

pour monter sur le ballon et en descendre. Effectuez les mouvements lentement. Tous requièrent de l'équilibre, la stabilité du tronc et de l'endurance, ce qui peut vous fatiguer plus que vous ne l'imaginez.

Position sur le ventre

1 *À genoux sur le matelas, posez l'abdomen sur le ballon, tandis que le bout de vos doigts touche légèrement au sol et que vos orteils sont rentrés.*

2 *Étirez les jambes en poussant avec les orteils et en roulant le ballon sous vous pendant que vous bougez vers l'avant.*

3 *Avancez les mains en éloignant le torse du ballon jusqu'à ce que les hanches ou les genoux reposent sur le ballon, les pieds à hauteur du ballon.*

Position neutre et position du pont

1 *Assoyez-vous droite en position neutre, les genoux à 90 degrés et alignés au-dessus des chevilles, les bras droits vers le bas, vos mains touchant les côtés du ballon.*

2 *Avancez les pieds et commencez à glisser vers le bas sur le ballon. Si vous en êtes à vos premiers essais, tenez le ballon avec les mains pour conserver votre équilibre en descendant.*

3 *Continuez à glisser jusqu'à ce que votre tête, votre cou et vos épaules soient bien appuyés. Utilisez les muscles fessiers (voir pp. 28-29) pour relever les hanches. Gardez les genoux au-dessus des chevilles.*

Pour gonfler votre ballon, utilisez une pompe manuelle qui pompe de gros volumes d'air à basse pression. Les pompes pour vélo ne fonctionnent généralement pas. Il ne faut pas trop gonfler le ballon. Si vous hésitez entre deux tailles de ballon, choisissez la plus grande et gonflez un peu moins le ballon. Un ballon fermement gonflé est plus résistant et plus difficile à utiliser.

Quand vous gonflez le ballon pour la première fois, faites-le à 80 % de sa capacité et complétez le lendemain. Vous augmenterez alors son élasticité et sa durée de vie.

Avec le temps et l'exercice, le ballon se dégonflera légèrement. Vous devrez alors le regonfler. Inspectez la surface du ballon régulièrement pour découvrir les éraflures, les trous et les marques qui pourraient causer des fuites d'air.

Avertissement : si votre équilibre est déficient, n'utilisez le ballon que sous la supervision d'un spécialiste.

Les haltères courts

Le principal équipement pour les exercices de résistance à la maison sont les haltères courts. Ils rendent les exercices intéressants parce qu'ils mettent en jeu l'équilibre, la coordination et la stabilité du tronc. Comme vous les soulevez isolément, il est facile de découvrir les déséquilibres du corps et ainsi d'améliorer la symétrie. Vous pouvez isoler un muscle à la fois ou combiner des mouvements pour développer tout un ensemble de muscles.

Faits de métal, les haltères courts peuvent être recouverts d'émail gris, de chrome, de vinyle, de néoprène ou de caoutchouc. Les recouvrements en émail ou en chrome s'écaillent avec le temps et peuvent présenter des risques. Les haltères recouverts de vinyle et le néoprène éliminent ce risque, sont de couleurs attrayantes et leur usage est très agréable.

On retrouve généralement des haltères courts de 0,5, 1, 2, 3, 4 et 5 kg, ou encore 1, 2, 3, 4, 5 lb, etc. Vous aurez besoin d'au moins de deux paires d'haltères pour votre travail de résistance :
- débutante : 1 et 2 kg (3-5 lb)
- intermédiaire : 2 et 4 kg (5-8 lb)
- expérimentée : 5 et 5,5 kg (10-12 lb)

Pour travailler avec des haltères

Concentrez-vous sur votre position et sur l'alignement avant d'effectuer un lever. Le bassin bien stable, coordonnez vos mouvements avec votre respiration ; inspirez, puis expirez lentement pendant que vous levez le poids en contrôlant le rythme avec votre respiration.

Tenir un haltère

Gardez le poignet droit pour prévenir toute tension ou blessure à l'articulation. Évitez de pliez le poignet. Ne serrez pas trop le poids.

Prendre des haltères

1 *Pliez les genoux vers le plancher. Gardez le dos droit et contractez les abdominaux au moment où vous vous préparez à soulever les haltères.*

2 *Utilisez les muscles longs des jambes pour effectuer le lever ; serrez les fessiers quand vous êtes en position debout. Faites travailler vos abdominaux pour protéger le bas du dos.*

DÉCOMPRESSION **GÉNÉRALE**

Il est important d'étirer les muscles après qu'on les a contractés durant un exercice de musculation. La série d'étirements ci-dessous peut remplacer un programme plus extensif d'exercices de flexibilité à effectuer après les entraînements de résistance. Ces étirements sont aussi bons pour réduire la tension en tout moment. Faites chacun des étirements une fois et maintenez-le durant trois cycles respiratoires.

la colonne en position neutre

élevez la cage thoracique pour allonger le torse

gardez la tête centrée

1 Étirement de la poitrine et des épaules : les pieds parallèles écartés de la largeur des hanches et les genoux souples, étendez les bras juste sous le niveau des épaules en tournant les paumes des mains vers l'extérieur. Poussez avec vos mains comme si vous poussiez contre des murs.

2 Étirement du grand dorsal : même position que dans l'exercice précédent, le torse bien droit. Abaissez les omoplates et élevez les deux bras, les paumes vers l'intérieur. Allongez par le torse en élevant la cage thoracique

3 Étirement latéral : saisissez votre poignet gauche avec la main droite et tirez le torse sur le côté. Vous devez ressentir l'étirement jusque dans la hanche gauche. Évitez de tourner le torse. Répétez de l'autre côté.

4 Courber la colonne : à partir de la position debout, les bras sur les côtés, collez le menton à votre poitrine et abaissez-vous lentement en pliant une vertèbre à la fois. Pendant que le dos s'arrondit, placez vos bras en avant. Gardez les genoux souples.

5 En position du chien : à partir de la position précédente, posez les paumes à plat sur le sol ; avancez les mains vers l'avant pendant que vous pressez les talons sur le sol. Poursuivez l'étirement de la colonne et relevez les hanches. Si nécessaire, pliez un peu les genoux pour que vos talons reposent bien sur le sol.

allongez la colonne pendant que vous marchez vers l'avant

pressez les talons sur le sol

ÉCHAUFFEMENT POUR **56-65 ANS**

L'échauffement prépare le corps à effectuer le travail plus ardu de l'entraînement de résistance. Les cycles de pas rythmés élèvent la température du corps et des muscles dans la région du bassin, tout en humidifiant les articulations, alors que les mouvements des bras font travailler les muscles qui seront davantage mobilisés dans les exercices de renforcement du haut du corps.

Marche sur place

Orteils pointés vers l'avant

bougez les bras énergiquement

la pointe du pied pointée vers l'avant

Commencez à marcher en levant le genou le plus haut possible et en élevant le bras opposé. Posez la plante du pied sur le sol, puis le talon. Continuez à marcher en mouvant toujours jambe et bras opposés.

• **Répétitions :** 20 (1 répétition = les deux côtés)

Tout en maintenant le même rythme, changez le mouvement des pieds en déposant alternativement la pointe de chaque pied sur le sol. Continuez le mouvement alternatif des bras.

• **Répétitions :** 20 (1 répétition = les deux côtés)

Talon vers l'avant

Grands pas sur place

gardez
les genoux
souples

les jambes
largement
écartées

Sans changer de rythme, écartez les jambes largement et élevez les genoux à la hauteur des hanches. Maintenez le mouvement alternatif des bras.

• **Répétitions :** 20 (1 répétition = les deux côtés)

Changez le mouvement des pieds en déposant maintenant le talon sur le sol. Continuez à marcher ainsi en alternant bras et jambes. En pointant le pied comme dans le dernier exercice et en fléchissant comme ici, on réchauffe les muscles du bas de la jambe.

• **Répétitions :** 20 (1 répétition = les deux côtés)

CONSEIL DE JOAN

Plus les mouvements des bras sont énergiques, plus cet échauffement profite au haut du corps.

Pas de côté

1 Toujours au même rythme et en bougeant bien les bras, commencez à faire des pas de côté. Gardez les genoux souples pendant que vous déplacez votre poids sur la jambe gauche.

élevez le bras opposé

tapez les orteils sur le sol

2 Rapprochez la jambe droite de la gauche et pointez les orteils vers le bas ; faites immédiatement un pas à droite et tapez le sol avec le pied gauche. Répétez.
- **Répétitions :** 20 (1 répétition = les deux côtés)

Pas de côté avec élévation latérale

1 Poursuivez le même exercice, mais cette fois en élevant les bras sur les côtés. Quand les pieds sont écartés, levez les bras à la hauteur des épaules, les coudes légèrement fléchis et les paumes vers le bas.

élevez les bras de côté

les coudes légèrement fléchis

les genoux souples

2 Quand vos pieds sont joints, les orteils pointant à côté du pied opposé, abaissez les bras sur les côtés, les coudes toujours fléchis. Continuez en synchronisant les mouvements des bras et des jambes
- **Répétitions :** 20 (1 répétition = les deux côtés)

Pas de côté avec développé

1 À l'exercice du pas de côté, ajoutez un mouvement de développé à hauteur de poitrine. Quand vos pieds sont écartés, étirez vos bras vers l'avant, les paumes vers le bas, en ligne avec les épaules et juste un peu en dessous.

les bras en avant, paumes vers le bas

les coudes vers l'arrière au milieu du corps

le poids sur la jambe gauche

la pointe du pied sur le sol

2 Quand vos pieds sont rassemblés, pliez les coudes vers les côtés juste sous les épaules, tout en les retirant jusqu'au milieu du corps.
- **Répétitions** : 20 (1 répétition = les deux côtés)

Pas arrière avec étirement du grand dorsal

les bras
en avant

les coudes en
arrière et les
mains à hau-
teur de la
taille

tapez les
orteils der-
rière vous

1 Sans interrompre l'exercice et en maintenant le rythme, allongez les bras vers l'avant un peu plus haut que la poitrine, les paumes tournées vers l'intérieur, pendant que vous transférez votre poids sur la jambe droite. Souvenez-vous de garder les genoux légèrement fléchis.

2 Modifiez maintenant votre mode de marche en croisant le pied gauche en arrière et en pointant vers le sol. En même temps, pliez les coudes vers l'arrière, les mains à hauteur de la taille. Répétez en changeant de pied.
• **Répétitions :** 20 (1 répétition = les deux côtés)

Pas arrière avec coudes pliés

pliez les coudes près des côtés

déplacez votre poids sur le pied droit

les bras en bas, paumes des mains vers l'avant

tapez la pointe du pied derrière

1 Exécutez le même mouvement de jambes, mais changez le mouvement des bras en effectuant une flexion des biceps ; quand vous déplacez votre poids et changez de côté, pliez les coudes en les maintenant près du corps.

2 Quand vous croisez le pied pour taper le sol, baissez les bras, les paumes tournées vers l'avant. Poursuivez l'exercice en synchronisant les mouvements des bras et des jambes et en maintenant le rythme.
* **Répétitions :** 20 (1 répétition = les deux côtés)

Orteils pointés

pointez et tapez sur le côté

Complétez votre échauffement avec des pas de côté. Les jambes écartées davantage que la largeur des hanches, les mains sur la taille, déplacez votre poids sur la jambe droite et dressez la jambe gauche vers le côté en tapant avec la pointe du pied sur le sol. Changez de côté et répétez.
* **Répétitions :** 20 (1 répétition = les deux côtés)

CONSEIL DE JOAN

À la fin de l'échauffement, vous devriez ressentir de la chaleur et commencer à transpirer légèrement.

LE PROGRAMME DES **56-65** ANS

L'entraînement de résistance renforce les muscles, mais il est également bénéfique pour les os, contribuant à augmenter leur densité dans les années de croissance et à conserver la masse osseuse les années suivantes. Comme l'étirement des muscles agit localement sur les os, vous devez faire des exercices pour tous les groupes majeurs de muscles afin de renforcer le squelette entier.

Lever de chaise éclair

Effectuer cet exercice d'un mouvement brusque et bref restaure la capacité des muscles à réagir instantanément, capacité qui diminue avec l'âge et nous ralentit dans nos activités. Cet exercice vise les grands muscles du haut des jambes pour leur procurer une plus grande force et une meilleure stabilité. Il contribue à améliorer la densité osseuse.

Commencez au niveau 1, puis progressez à votre rythme aux niveaux 2 et 3	
NIVEAU 1	10 répétitions sans bande d'étirement, 1-2 séries
NIVEAU 2	12-15 répétitions avec bande légère ou moyenne, 1-2 séries
NIVEAU 3	8-12 répétitions avec bande lourde, 2-3 séries

penchée légère-
ment vers l'avant

les bras droits,
paumes des
mains vers
l'intérieur

la bande d'étire-
ment sous l'arche
des pieds

redressez la
poitrine en
vous levant

appuyez
fortement
les pieds au
sol pour vous
aider à vous
lever

1 Assoyez-vous sur le bord d'une chaise solide en tenant la bande comme dans la photo. Les jambes sont écartées de la largeur des hanches, les pieds parallèles et les genoux à angle droit directement au-dessus des pieds. Maintenez la tension de la bande.

2 Inspirez, puis expirez en vous penchant légèrement vers l'avant au niveau des hanches; levez-vous d'un mouvement brusque et énergique. Reprenez la position assise; dès que vous touchez au siège, recommencez.

Pas en puissance

Le grand avantage de cet exercice, c'est qu'il peut faire travailler tous les muscles du haut des jambes et des hanches en variant la direction des pas. Écartez les pieds comme dans la photo. Pour varier, faites des pas vers l'avant, puis en arrière et en diagonale.

Commencez au niveau 1, puis progressez à votre rythme aux niveaux 2 et 3	
NIVEAU 1	10 répétitions (1 répétition = les deux côtés) avec bande légère, 1-2 séries
NIVEAU 2	12-15 répétitions avec bande moyenne, 1-2 séries
NIVEAU 3	8-12 répétitions avec bande lourde, 2-3 séries

gardez les genoux souples

1 Faites une boucle dans la bande (voir p. 32) et ajustez-la pour qu'elle soit tendue mais pas trop serrée quand vous écartez les pieds de la largeur des hanches. Allongez les bras sur les côtés.

2 En commençant avec la jambe droite, faites un pas rapide vers le côté, puis lentement (au compte de 3), ramenez le pied gauche vers le droit en maintenant la tension de la bande. Sans toucher au sol, faites un pas rapide vers la gauche, puis ramenez le pied droit. Continuez en faisant des pas des deux côtés.

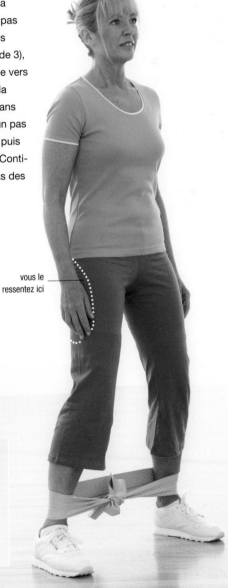

vous le ressentez ici

CONSEIL DE JOAN

Si cet exercice vous fait mal aux genoux, essayez avec la bande au-dessus des genoux.

Combiné fente/flexion des jambes

Exécuter une fente vers l'avant avec une flexion des jambes latérale développe l'équilibre, et facilite le déplacement du poids et le changement de direction dans une routine de renforcement. Commencez par faire l'exercice sans haltères, puis, plus tard, avec un haltère dans chaque main.

Commencez au niveau 1, puis progressez à votre rythme aux niveaux 2 et 3	
NIVEAU 1	10 répétitions (1 répétition = fente/flexion), 1 série
NIVEAU 2	12-15 répétitions avec haltères de 1-2 kg (3-5 lb), 1 série
NIVEAU 3	8-12 répétitions avec haltères de 3-4 kg (8-10 lb), 1 série

les mains sur les hanches

les pieds parallèles écartés de la largeur des hanches

gardez le torse droit

le genou au-dessus de la cheville

1 Les pieds parallèles écartés de la largeur des hanches et les mains posées sur les hanches, transférez votre poids sur la jambe droite et inspirez en faisant un pas en avant avec la jambe gauche. Le pied droit devrait se relever sur la plante. Pliez les deux genoux pour que le genou du devant soit directement au-dessus de la cheville quand le genou arrière est abaissé vers le sol.

le genou abaissé vers le sol

CONSEIL DE JOAN

Trouvez la bonne manière en effectuant les exercices séparément avant de les combiner.

2 Faites une pause en position de fente, puis, en expirant, reprenez la position initiale, les pieds parallèles sous les hanches et les mains sur les hanches. Fléchissez légèrement les genoux.

3 Faites un pas de côté avec la jambe droite, le poids également distribué sur les deux jambes. Inspirez et prenez une position accroupie. Pendant que vous expirez, redressez les genoux et ramenez la jambe droite vers le centre. Avancez le pied droit et répétez la combinaison, en faisant un pas en avant puis un pas de côté avec la jambe droite. Effectuez le nombre de répétitions requis et changez de jambe

le torse penché vers l'avant

tirez vers l'arrière à l'aide de vos hanches

ne laissez pas les genoux tourner vers l'intérieur

les genoux légèrement fléchis

les pieds parallèles écartés de la largeur des hanches

un pas vers la droite

Allongement croisé : débutante

Notre capacité d'équilibre commence à décliner tranquillement après 40 ans. L'évolution se produit si doucement qu'on en prend rarement conscience. Il y a aussi une différence importante entre le côté gauche et le droit. Avec de l'entraînement, vous pouvez réduire au minimum ce déséquilibre.

Commencez au niveau 1, puis progressez à votre rythme aux niveaux 2 et 3	
NIVEAU 1	10 répétitions de chaque côté en vous appuyant sur la chaise, 1 série
NIVEAU 2	10 répétitions sans tenir la chaise, 1 série
NIVEAU 3	10 répétitions sans tenir la chaise et les yeux fermés, 1 série

1 Debout, portez tout votre poids sur la jambe gauche. Pliez le genou droit et levez la jambe vers l'arrière. Si nécessaire, prenez appui sur le dossier d'une chaise pour vous aider. Sinon, gardez le bras droit lâche sur le côté. Croisez votre bras droit à hauteur de l'épaule, puis ramenez-le sur le côté. Répétez en gardant le pied en l'air. Changez de côté et recommencez.

le bras levé à hauteur d'épaule

appuyée sur une chaise pour un meilleur équilibre

le genou légèrement fléchi

CONSEIL DE JOAN

Débutez toujours par le côté le moins stable pour bien vous concentrer mentalement et lui accorder la priorité physique.

Allongement croisé : intermédiaire/avancé

Le niveau de difficulté est accru ici parce que le centre de gravité se déplace pendant que vous vous penchez vers l'avant pour toucher à l'haltère. Pour une variante encore plus difficile, saisissez l'haltère avec une main ou les deux, et ramenez-le vers votre poitrine. Reprenez la position debout, puis reposez l'haltère sur le sol.

Commencez au niveau 1, puis progressez à votre rythme aux niveaux 2 et 3	
NIVEAU 1	10 répétitions de chaque côté en touchant à l'haltère, 1 série
NIVEAU 2	10 répétitions avec haltère de 1 kg (3 lb), 1 série
NIVEAU 3	10 répétitions avec haltère de 2 kg (5 lb), 1 série

1 Les pieds parallèles écartés de la largeur des hanches, placez un haltère ou une bouteille remplie d'eau devant la jambe droite, distante d'un bras. Gardez les bras bien détendus sur les côtés.

2 En équilibre sur la jambe gauche, penchez-vous vers l'avant à partir des hanches pour toucher à l'haltère sur le sol. Reprenez la position droite sans que votre pied gauche touche au sol. Faites toutes les répétitions requises d'un côté, puis changez de côté et recommencez.

Élévation mollets/orteils

Le jambier antérieur, situé devant le tibia, est le muscle qui permet de lever le pied. C'est le premier muscle à perdre de la force, ce qui peut affecter votre capacité de marcher. Cet exercice va lui permettre de se renforcer, ainsi que le soléaire, le muscle le plus important du mollet.

Commencez au niveau 1, puis progressez à votre rythme aux niveaux 2 et 3	
NIVEAU 1	10 répétitions, 1 série
NIVEAU 2	15 répétitions, 1 série
NIVEAU 3	20 répétitions, 1 série

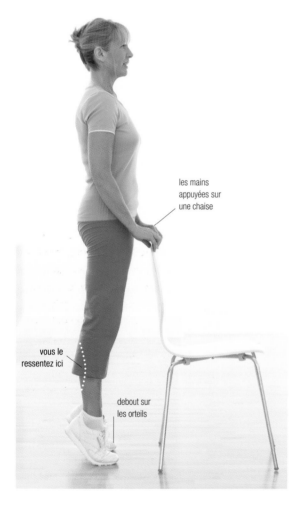

les mains appuyées sur une chaise

vous le ressentez ici

debout sur les orteils

la tête, le cou et la colonne bien alignés

vous le ressentez ici

debout sur les talons

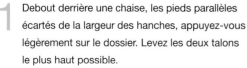

1 Debout derrière une chaise, les pieds parallèles écartés de la largeur des hanches, appuyez-vous légèrement sur le dossier. Levez les deux talons le plus haut possible.

2 Reposez les talons sur le sol et appuyez-vous sur les talons en levant le plus haut possible la pointe des pieds. Répétez tel qu'indiqué en alternant lever du mollet et lever des orteils.

Contraction du grand dorsal

L'entraînement du grand dorsal rendra plus fermes les côtés du dos et améliorera votre posture aussi bien que votre apparence. En renforçant ce muscle puissant, vous augmenterez votre capacité d'accomplir vos tâches quotidiennes et il vous sera plus facile de rester jeune sur le plan physique.

Commencez au niveau 1, puis progressez à votre rythme aux niveaux 2 et 3	
NIVEAU 1	10 répétitions avec bande légère, 1-2 séries
NIVEAU 2	12-15 répétitions avec bande moyenne, 1-2 séries
NIVEAU 3	8-12 répétitions avec bande lourde, 2-3 séries

la tête au centre entre les coudes

les omoplates baissées et rapprochées

vous le ressentez ici

2 Inspirez, et pendant que vous expirez, baissez les bras sur les côtés en étirant la bande à hauteur de poitrine. Maintenez une seconde, puis relâchez. Gardez les coudes pliés à un angle constant pendant que vous levez lentement les bras au-dessus de la tête pour reprendre la position de départ.

1 Saisissez la bande avec vos deux mains aux extrémités et étendez les bras au-dessus de la tête, les paumes vers l'avant et les coudes légèrement tournés. Tendez un peu la bande.

Développé incliné

Les deux exercices qui suivent renforcent les pectoraux et le deltoïde (voir p. 28), les mêmes muscles qui sont sollicités dans les pompes. Après les avoir pratiqués durant huit semaines, vous devriez être capable de faire plus de pompes avec moins d'effort.

Commencez au niveau 1, puis progressez à votre rythme aux niveaux 2 et 3	
NIVEAU 1	10 répétitions avec bande légère, 1-2 séries
NIVEAU 2	12-15 répétitions avec bande moyenne, 1-2 séries
NIVEAU 3	8-12 répétitions avec bande lourde, 2-3 séries

les paumes à l'intérieur

les genoux légèrement fléchis

les bras tendus vers le haut à 45 degrés

2 Expirez en étendant les bras vers le haut à un angle de 45 degrés. Faites une pause, puis inspirez et revenez à la position initiale. Prenez soin de maintenir la tension de la bande durant tout le mouvement. Répétez le nombre de fois requis.

1 Centrez la bande sur les omoplates, ajustée à sa pleine longueur. Pliez les coudes près des côtés, tenez vos mains devant vous à hauteur des épaules et tirez sur la bande pour la tendre. Baissez et ramenez les omoplates vers l'intérieur.

Flexion/extension des épaules

Les épaules relient les grands groupes de muscles du dos et de la poitrine. En les renforçant, vous améliorerez tous les mouvements du haut du corps, aussi bien ceux que requièrent les tâches domestiques que ceux des activités sportives. Cet exercice développe l'avant et l'arrière des épaules.

Commencez au niveau 1, puis progressez à votre rythme aux niveaux 2 et 3	
NIVEAU 1	10 répétitions avec bande légère, 1-2 séries
NIVEAU 2	12-15 répétitions avec bande moyenne, 1-2 séries
NIVEAU 3	8-12 répétitions avec bande lourde, 2-3 séries

le bras gauche à 45 degrés par rapport à l'épaule

les mains écartées d'environ 30 cm (12 po), paumes à l'intérieur

gardez les omoplates fermes pendant que vous étendez les bras

vous le ressentez ici

1 Pieds écartés, légèrement accroupie, la jambe droite en avant, tenez la bande en avant du corps. Votre main gauche devrait être légèrement plus haute que votre main droite. Inspirez.

2 En expirant, éloignez les mains en levant votre bras gauche à hauteur de l'épaule et en étendant votre bras droit vers l'arrière. Faites une pause, inspirez et revenez lentement à la position initiale. Faites toutes les répétitions d'un côté, puis changez de bras et recommencez.

Flexion double des biceps

Des biceps forts vous aident à soulever et à transporter facilement des charges, que ce soit une valise, un poêlon, un ordinateur ou des sacs d'épicerie. Cet exercice s'applique au haut du corps, les jambes ne servant qu'à maintenir la bande en place, mais si vous faites plus d'une séquence, il est sage de changer de jambe.

Commencez au niveau 1, puis progressez à votre rythme aux niveaux 2 et 3	
NIVEAU 1	10 répétitions avec bande légère, 1-2 séries
NIVEAU 2	12-15 répétitions avec bande moyenne, 1-2 séries
NIVEAU 3	8-12 répétitions avec bande lourde, 2-3 séries

les bras droits, paumes des mains vers l'avant

vous le ressentez ici

gardez les coudes près du corps

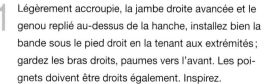

1 Légèrement accroupie, la jambe droite avancée et le genou replié au-dessus de la hanche, installez bien la bande sous le pied droit en la tenant aux extrémités ; gardez les bras droits, paumes vers l'avant. Les poignets doivent être droits également. Inspirez.

2 Pendant que vous expirez, pliez les coudes en tirant la bande vers vos épaules. Tenez un moment, puis redescendez lentement. Si la bande est un peu courte pour votre taille, installez-la autour de votre cuisse plutôt que sous le pied. Répétez tel qu'indiqué.

Poussée des triceps vers le bas

Voici un autre bon exercice pour raffermir et renforcer le haut des bras, plus particulièrement les muscles derrière. Pour protéger votre cou de la friction, posez-y une serviette repliée dans le sens de la longueur et centrez la bande sur la serviette.

Commencez au niveau 1, puis progressez à votre rythme aux niveaux 2 et 3	
NIVEAU 1	10 répétitions avec bande légère, 1-2 séries
NIVEAU 2	12-15 répétitions avec bande moyenne, 1-2 séries
NIVEAU 3	8-12 répétitions avec bande lourde, 2-3 séries

les poignets plats

les genoux légèrement fléchis

ne laissez pas vos épaules rouler vers l'avant

vous le ressentez ici

les coudes près du corps

les poignets droits

1 En tenant la bande comme dans la photo, abaissez et rapprochez les omoplates. Les coudes pliés à angle droit, paumes à l'intérieur, maintenez la tension de la bande. Inspirez.

2 Pendant que vous expirez, tendez les bras vers le sol en prenant bien soin de garder les coudes près du corps et les poignets droits. Ne laissez pas vos épaules rouler vers l'avant. Faites le nombre requis de répétitions.

Déroulement vers le sol

Si vous commencez tout juste à faire travailler vos abdominaux ou simplement si vous voulez diversifier votre routine, essayez de vous dérouler vers le sol plutôt que d'en remonter comme dans le redressement de base de la page suivante. Les deux exercices sont conçus pour développer le grand droit abdominal.

Commencez au niveau 1, puis progressez à votre rythme aux niveaux 2 et 3	
NIVEAU 1	10 répétitions, 1-2 séries
NIVEAU 2	15 répétitions, 1-2 séries
NIVEAU 3	20 répétitions, 2-3 séries

les bras étendus au niveau des épaules

les genoux pliés à 90 degrés

1 Assise droite sur le sol, les genoux pliés à 90 degrés et les pieds à plat, ramenez le torse le plus près possible de vos cuisses et étendez les bras à hauteur d'épaule, les paumes vers l'intérieur. Inspirez.

2 Pendant que vous expirez, déroulez lentement le bas du dos, vertèbre par vertèbre, jusqu'à ce que vous soyez à mi-hauteur, puis revenez à la position initiale. Si vous n'avez pas la force de vous relever, utilisez vos mains pour pousser.

CONSEIL DE JOAN
Pour accroître l'intensité, maintenez la position 5 à 10 secondes avant de vous redresser.

le menton relevé

le bas du dos arrondi

les pieds bien à plat

Redressement de base

Il faut de la concentration et une bonne conscience de son corps pour exécuter cet exercice à la perfection. La clé réside dans la respiration et la compression de l'abdomen. Chaque fois que vous soulevez la tête et les épaules du plancher, expirez vigoureusement et rentrez le nombril.

Commencez au niveau 1, puis progressez à votre rythme aux niveaux 2 et 3	
NIVEAU 1	10 répétitions, 1-2 séries
NIVEAU 2	15 répétitions, 1-2 séries
NIVEAU 3	20 répétitions, 2-3 séries

la tête repose sur le bout des doigts

1 Étendez-vous sur le sol, les genoux pliés à 90 degrés et les pieds à plat. Pour éviter de vous étirer le cou, placez le bout des doigts derrière les oreilles et laissez reposer la tête légèrement. Écartez les coudes et inspirez.

2 Pendant que vous expirez, rentrez le nombril et levez la tête et les épaules à un angle de 30 degrés. Gardez le menton relevé. Faites une pause, inspirez, puis reposez les omoplates sur le sol.

À l'aide d'une serviette
Pour rapprocher encore plus la poitrine des genoux en montant, tirez sur une serviette pliée placée sous les cuisses. Maintenez 5 secondes.

serviette pliée sous les cuisses

le menton relevé

le nombril rentré

les coudes écartés

ÉCHAUFFEMENT POUR **46-55** ANS

Monter sur un marchepied et en descendre constitue un bon moyen d'échauffement, qui de plus vous permettra d'améliorer votre résultat au test du marchepied (page 19). La hauteur de la plateforme, la vitesse des mouvements et le poids des haltères utilisés vont déterminer l'intensité de l'exercice. Quand vous aurez maîtrisé les rudiments de cet exercice, essayez avec des haltères de 1 kg (3 lb) dans chaque main, puis progressez jusqu'à 4 kg (8 lb), du moment que vous ne vous fatiguez pas.

Au marchepied

la poitrine relevée

les pieds collés à 8 à 10 cm (3 à 4 po) du marchepied

les yeux droits devant

1 Placez-vous debout face au marche-pied, un haltère court dans chaque main, les pieds collés à 8-10 cm (3-4 po) de la plateforme. Allongez les bras sur les côtés, paumes des mains vers l'intérieur. Commencez à monter sur la plateforme avec le pied gauche.

pied gauche bien à plat

CONSEIL DE JOAN

Si vous sentez de la tension dans le cou ou les épaules pendant l'exercice, utilisez des haltères plus légers.

utilisez vos abdominaux pour garder le torse droit

les deux pieds sur la plateforme

posez la pointe du pied en premier

baissez les épaules pour garder le dos droit

2 Dès que le pied gauche est posé, ramenez le pied droit de façon à ce que vos deux pieds reposent sur la plate-forme, tandis que vos bras et vos poignets restent droits le long du corps.

3 Redescendez avec la jambe gauche en premier en posant d'abord la pointe du pied avant d'abaisser le talon. Gardez la tête, le cou et la colonne bien alignés pendant les mouvements.

4 Abaissez le pied droit. Assemblez les deux pieds sur le sol. Continuez en cadence en scandant mentalement « haut, haut, bas, bas ».
• **Répétitions :** 20, puis changez de pied d'appel.

Alterner le pied d'appel

gardez le haut
du corps vertical

commencez
par le pied
gauche

la poitrine
relevée

les deux
pieds sur la
plateforme

gardez les
genoux
derrière
les orteils

redescendez en
posant d'abord
le pied gauche
au sol

1 Avec un haltère dans chaque main, placez-vous debout face au marchepied comme dans l'exercice précédent. Montez sur la plateforme en commençant par le pied gauche.

2 Dès que le pied gauche est posé à plat sur la plateforme, montez le pied droit. Gardez les bras droits le long du corps.

3 Descendez le pied gauche en posant d'abord la pointe du pied sur le sol, puis le talon.

Au marchepied avec flexion des biceps

regardez droit devant

tapez les orteils avant de monter le pied droit

pliez les coudes, paumes des mains tournées vers le haut

levez les haltères à hauteur des épaules

les deux pieds sur la plateforme

1 Alternez les pas en tenant les haltères, paumes vers l'avant. Quand vous montez avec le pied gauche, commencez à élever les haltères vers les épaules.

2 Quand vous montez le pied droit, ramenez les haltères au niveau des épaules. Descendez en commençant par le pied gauche, puis tapez avec le pied droit en même temps que vous redressez les bras. Remontez aussitôt sur la plateforme avec le pied droit ; continuez en changeant de côté.
• **Répétitions :** 20

4 Abaissez le pied droit et tapez les orteils sur le sol avant de remonter immédiatement le pied droit. Continuez en formulant « en haut, en haut, en bas, changer ».
• **Répétitions :** 20 (1 répétition = les deux côtés)

À cheval

gardez les
épaules droites

montez avec
le pied gauche

les deux pieds
sur la plateforme

1 Chevauchez le marchepied, un pied de chaque côté.
Tenez un haltère dans chaque main, les paumes vers
l'intérieur et les poignets droits. Les genoux légèrement fléchis, montez sur la plateforme avec la jambe
gauche.

2 Dès que le pied gauche est bien posé sur la plateforme, montez le pied droit de telle sorte que les deux
pieds soient centrés sur le marchepied. Attention à la
distribution du poids afin de maintenir un bon équilibre sur les deux jambes.

regardez
droit devant

le genou
au-dessus
du pied

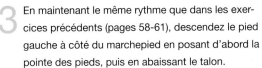

descendez
sur la pointe
du pied

les pieds de
chaque côté du
marchepied

3 En maintenant le même rythme que dans les exercices précédents (pages 58-61), descendez le pied gauche à côté du marchepied en posant d'abord la pointe des pieds, puis en abaissant le talon.

4 Descendez immédiatement le pied droit pour retrouver la position initiale. Continuez de la même manière: «en haut, en haut, en bas, en bas».
• **Répétitions:** 20, puis changez de pied d'appel et recommencez.

Par-dessus

les côtes
au-dessus
des
hanches

les genoux
légèrement
fléchis

le pied gauche
sur la plateforme

les deux
pieds sur la
plateforme

les yeux
droits devant

descendez et tapez
avec le pied droit

1 Placez-vous debout, votre côté gauche le long du marchepied, les pieds parallèles à environ 10 cm (4 po). Avec un haltère dans chaque main, paumes tournées vers l'intérieur, posez le pied gauche sur la plateforme.

2 Dès que le pied gauche est bien à plat sur la plateforme, montez le pied droit pour que les deux pieds se retrouvent centrés sur la plateforme, écartés de 10 cm (4 po). Gardez les bras droits sur les côtés, les paumes vers l'intérieur.

3 Descendez de l'autre côté avec le pied gauche, puis tapez avec le pied droit. Remontez avec le pied droit et revenez de l'autre côté.

• **20 répétitions :** (1 répétition = les deux côtés)

LE PROGRAMME DES **46-55** ANS

Vous pouvez faire ces exercices dans leur ordre de présentation ou, pour varier, intercaler les exercices d'échauffement (pages 58-64) dans les exercices de résistance pour créer une autre routine d'entraînement. Si vous maintenez un rythme cardiaque élevé durant les séances, non seulement vous renforcerez vos muscles et vos os, mais vous améliorerez aussi votre système cardiovasculaire.

L'horloge de l'équilibre

Cet exercice comporte plusieurs avantages : chaque fois que vous descendez, vous vous accroupissez légèrement, ce qui fait travailler toute la jambe de la hanche à la cheville. En travaillant ainsi une jambe à la fois, vous pourrez découvrir toute asymétrie dans votre force ou votre équilibre et vous pourrez vous concenter sur un développement équilibré.

Commencez au niveau 1, puis progressez à votre rythme aux niveaux 2 et 3	
NIVEAU 1	3 répétitions dans chaque position, 1 série
NIVEAU 2	5 répétitions dans chaque position, 1 série
NIVEAU 3	10 répétitions dans chaque position, 1 série

debout à une extré- mité du marchepied

vous le ressentez ici

la jambe gauche vers l'avant

vous le ressentez ici

vous le ressentez ici

la jambe gau- che en arrière

le genou droit plié

1 Debout sur la jambe droite sur un marchepied haut de 15 à 25 cm (6 à 10 po), étendez la jambe gauche vers l'avant comme sur la photo (midi). Pliez le genou droit et descendez lentement la jambe gauche. Poussez avec le talon de la jambe droite pour vous redresser en position de départ.

2 Tout en gardant les hanches tournées vers l'avant, poursuivez sur l'horloge en étendant la jambe sur le côté (9 heures), puis à l'arrière (6 heures), vous accroupissant trois fois dans chaque position. Recommencez avec l'autre jambe.

Flexion latérale avec haltères

Voici est un exercice parfait pour sculpter les grands fessiers (voir pp. 28-29). Chaque fois que vous montez sur un marche-pied, que vous montez un escalier ou un plan incliné, vous aidez ces muscles. En outre, vous renforcez vos fémurs (os de la cuisse).

Commencez au niveau 1, puis progressez à votre rythme aux niveaux 2 et 3	
NIVEAU 1	10 répétitions sans haltères, 1-2 séries
NIVEAU 2	12-15 répétitions avec haltères de 1-2 kg (3-5 lb), 1-2 séries
NIVEAU 3	8-12 répétitions avec haltères de 4-5 kg (8-10 lb), 2-3 séries

la poitrine relevée

gardez les hanches à niveau

le pied est posé fermement sur la plateforme

descendez le pied droit sur le sol parallèlement au pied gauche

1 Placez-vous debout sur le marche-pied, face à une extrémité, les pieds parallèles écartés de la largeur des hanches, avec un haltère dans chaque main, les paumes tournées vers l'intérieur. Si vous préférez, vous pouvez plier les coudes et ramener les haltères contre vos épaules, ou les laisse reposer contre vos hanches (voir p. 68).

2 Descendez de la plateforme avec la jambe gauche. Inspirez pendant que vous pliez lentement les genoux jusqu'à ce que vous soyez accroupie. Expirez, contractez les fessiers et appuyez-vous sur la jambe gauche pour revenir à la position de départ. Répétez tel que recommandé, puis changez de côté et recommencez.

Élévation du genou avec projection des bras vers le haut

Cet exercice exige l'action coordonnée de plusieurs groupes de muscles travaillant ensemble. Les gros muscles de la jambe sont synchronisés avec ceux des épaules et du bas du dos, et en même temps, les muscles du tronc comme les abdominaux et les extenseurs font leur travail de stabilisation.

Commencez au niveau 1, puis progressez à votre rythme aux niveaux 2 et 3	
NIVEAU 1	10 répétitions avec haltère de 1 kg (3 lb), 1 série
NIVEAU 2	12-15 répétitions avec haltère de 2 kg (5 lb), 1 série
NIVEAU 3	8-12 répétitions avec haltère de 4 kg (8 lb), 1 série

vous le ressentez ici

les bras au-dessus des épaules

le genou plié au-dessus de la jambe

descendez sur la pointe du pied

l'haltère sur le genou

le genou droit à hauteur de la hanche

le genou légèrement fléchi

1 Pied gauche à plat sur la plateforme, avec un haltère entre vos mains (tel qu'illustré), étendez les bras devant vous en diagonale au-dessus des épaules.

2 Ramenez le genou droit à hauteur de la hanche pendant que vous pliez les bras et que vous posez l'haltère sur le genou. Revenez à la position de départ. Répétez, puis changez de côté et recommencez.

Mouvement en avant et flexion légère

Cette combinaison constitue une manière efficace de surcharger les muscles des fesses et des cuisses pour les raffermir et les renforcer. Étendre la jambe vers le marchepied est plus facile à faire que sur le plancher. Mais en ajoutant les haltères et la flexion, vous augmentez l'intensité.

Commencez au niveau 1, puis progressez à votre rythme aux niveaux 2 et 3	
NIVEAU 1	10 répétitions (1 répétition = deux côtés) sans haltères, 1 série
NIVEAU 2	12-15 répétitions avec haltères de 1-2 kg (3-5 lb), 1 série
NIVEAU 3	8-12 répétitions avec haltères de 4-5 kg (8-10 lb), 1 série

utilisez le bassin pour stabiliser le torse

les haltères reposent sur les hanches

Autre position des bras
Si vous ressentez de la tension dans le cou et dans le haut du dos, faites reposer les haltères sur vos hanches comme ci-dessus.

gardez le torse droit

le genou au-dessus de la cheville

le pied bien appuyé sur la plateforme

1 Placez-vous en face du grand côté du marchepied, à environ 48 cm (18 po.) Les pieds doivent être parallèles et écartés de la largeur des hanches. Avec un haltère dans chaque main, vos bras sont droits sur les côtés, les paumes tournées vers l'intérieur. Fléchissez légèrement les genoux.

2 Posez le pied gauche sur le marchepied en vous assurant qu'il est bien à plat. Gardez le genou gauche aligné sur la cheville. Exécutez un mouvement en avant en pliant les deux genoux et en faisant reposer votre pied droit sur les orteils. Les bras doivent demeurer droits sur les côtés.

le torse penché
vers l'avant

la colonne
droite

pliez légèrement
les genoux

3 Redressez les deux jambes après être
revenue avec votre jambe gauche à la
position initiale. Les pieds sont parallèles et écartés de la largeur des
hanches, tandis que les bras restent
droits sur les côtés, les paumes
tournées vers l'intérieur.

4 Pliez les genoux pour exécuter une
demi-flexion. Revenez à la position
de départ et répétez en allongeant la
jambe droite. (Vous avez fait ainsi une
répétition.) Continuez à changer de
jambe, vous accroupissant légèrement entre chaque séquence d'allongement de la jambe gauche et de la
jambe droite. Répétez tel qu'indiqué.

Élévation du mollet

Le marchepied est l'accessoire tout indiqué pour effectuer un lever du mollet avec une bonne amplitude de mouvement, ce qui fait travailler le muscle sur toute sa longueur. Si vous n'avez pas de marchepied d'exercice, vous pouvez toujours utiliser une marche d'escalier ou une bordure de trottoir.

Commencez au niveau 1, puis progressez à votre rythme aux niveaux 2 et 3	
NIVEAU 1	10 répétitions avec chaque jambe + 10 répétitions avec les deux jambes, 1 série
NIVEAU 2	15 répétitions avec chaque jambe +15 répétitions avec les deux jambes, 1 série
NIVEAU 3	20 répétitions avec chaque jambe + 20 répétitions avec les deux jambes, 1 série

talon au-dessous du niveau de la plateforme

vous le ressentez ici

soulevez-vous sur la pointe du pied

1 Tenez-vous sur la pointe du pied droit sur le marchepied en vous appuyant légèrement sur une chaise ou un mur pour rester en équilibre. Croisez le pied gauche sur la cheville droite pour concentrer le poids de votre corps sur le côté droit. Descendez le talon gauche au-dessous du niveau de la plateforme.

2 Expirez pendant que vous vous soulevez sur la pointe du pied droit, puis abaissez lentement le talon au-dessous du niveau de la plateforme. Faites le nombre de répétitions requis, puis changez de côté. Terminez par une séquence au cours de laquelle lequel les deux pieds se soulèvent et s'abaissent ensemble. Posez vos talons à l'extérieur du marchepied pour vous étirer.

Ramer à une main

Nous sommes très nombreuses à négliger les muscles du dos, car nous ne les voyons pas. Pourtant, les maux de dos constituent un sérieux problème et affectent des millions de personnes au travail. Renforcer le grand dorsal (voir pp. 28-29) réduit les risques de problèmes au dos.

Commencez au niveau 1, puis progressez à votre rythme aux niveaux 2 et 3	
NIVEAU 1	10 répétitions avec haltère de 2 kg (5 lb), 1-2 séries
NIVEAU 2	12-15 répétitions avec haltère de 4 kg (8 lb), 1-2 séries
NIVEAU 3	8-12 répétitions avec haltère de 5-5,5 kg (10-12 lb), 2-3 séries

la colonne droite

le genou au-dessus de la cheville

l'omoplate bien tirée vers l'arrière

vous le ressentez ici

le pied bien ferme sur la plateforme

1 Exécutez un mouvement de fente pour poser le pied gauche sur le marchepied. Penchez-vous vers l'avant à la hauteur des hanches et posez votre main gauche sur la cuisse. Votre main droite, paume vers l'intérieur, tient un haltère.

2 Ramenez l'omoplate vers la colonne et conservez cette position durant tout l'exercice. Expirez en pliant le coude et en ramenant l'haltère au niveau de la taille. Inspirez pendant que vous revenez à la position initiale. Faites le nombre de répétitions requis, puis changez de côté et recommencez.

Élévation des épaules

Cet exercice fait travailler le devant et le milieu des muscles deltoïdes (voir pp. 28-29) qui recouvrent le dessus des épaules; ce sont là des «épaulettes» naturelles. En donnant forme à ce muscle, vous améliorerez votre apparence, que vous portiez un vêtement sans manches ou un chemisier.

Commencez au niveau 1, puis progressez à votre rythme aux niveaux 2 et 3	
NIVEAU 1	10 répétitions avec haltères de 0,5-1 kg (2-3 lb), 1 série
NIVEAU 2	12-15 répétitions avec haltères de 2 kg (5 lb), 1 série
NIVEAU 3	8-12 répétitions avec haltères de 4 kg (8 lb), 1 série

les omoplates basses et rapprochées

les paumes tournées vers l'arrière

vous le ressentez ici

effectuez le mouvement un peu en bas des épaules pour réduire les risques de tension dans le cou

1 Placez-vous debout, les pieds parallèles écartés de la largeur des hanches, les genoux légèrement fléchis. Avec un haltère dans chaque main, placez les bras devant vos cuisses, les paumes tournées vers l'arrière. Abaissez et rapprochez les omoplates.

2 Inspirez, puis quand vous expirez, levez les deux bras vers l'avant à la hauteur des épaules. Gardez les poignets droits et les avant-bras parallèles. Vos bras devraient être droits sans être tendus.

vous le
ressentez ici

vous le
ressentez ici

les coudes
arrondis

les paumes
vers le bas

les épaules
vers l'arrière

les paumes
tournées vers
l'intérieur

4 Inspirez, puis quand vous expirez,
levez les bras à hauteur d'épaule (pas
plus haut), les coudes alignés sur les
épaules. Gardez les épaules légèrement arrondies et tournez les paumes
vers le bas à la fin du mouvement.
Inspirez et retournez lentement à la
position initiale. Répétez toute la
séquence le nombre de fois requis.

3 Faites une pause, puis baissez lentement les bras et reprenez la position
de départ en maintenant vos épaules
vers l'arrière. Tournez les bras pour
que les paumes soient vers l'intérieur.

CONSEIL DE JOAN

*Pour bien isoler
l'épaule, dirigez le
mouvement avec les
coudes en laissant
suivre les avant-bras.*

Pompe modifiée

La pompe et le papillon (page ci-contre) développent les pectoraux et les deltoïdes. Le marchepied pour effectuer ces exercices est une bonne manière de commencer à augmenter votre force. Comme l'amplitude du mouvement est réduite, cette version modifiée est plus facile que la pompe traditionnelle.

Commencez au niveau 1, puis progressez à votre rythme aux niveaux 2 et 3	
NIVEAU 1	10 répétitions, 1-2 séries
NIVEAU 2	12-15 répétitions, 1-2 séries
NIVEAU 3	30 répétitions, 1-2 séries

les hanches alignées avec les genoux et les épaules

1 Agenouillez-vous face au marchepied, les mains écartées de 8-10 cm (3-4 po) de plus que la largeur des épaules. Abaissez les hanches pour former une ligne droite des épaules aux genoux. Tirez bien sur les abdominaux pour empêcher le dos de courber ; déplacez votre poids vers l'avant des rotules pour éviter d'exercer de la pression.

2 Abaissez les omoplates en les rapprochant et inspirez pendant que vous pliez les coudes vers les côtés à angle droit et que vous abaissez la poitrine vers le marchepied. Expirez et redressez les bras pour regagner la position initiale. Faites le nombre de répétitions requis.

Pliez les coudes vers l'extérieur à 90 degrés pendant que vous abaissez la poitrine.

concentrez le poids en avant des rotules

Pompe avancée
Pour augmenter l'intensité, posez les pieds sur le marchepied et concentrez plus de poids sur la poitrine et les épaules.

Le papillon

Comme certaines de mes clientes ont horreur des pompes, voici un exercice qui peut les remplacer, car il fait travailler les mêmes muscles. En augmentant votre force, vous améliorerez la silhouette de votre buste et la forme du devant de vos épaules ; de plus, cet exercice rendra les pompes plus faciles à exécuter.

Commencez au niveau 1, puis progressez à votre rythme aux niveaux 2 et 3	
NIVEAU 1	10 répétitions avec haltères de 1 kg (3 lb), 1-2 séries
NIVEAU 2	12-15 répétitions avec haltères de 2 kg (5 lb), 1-2 séries
NIVEAU 3	8-12 répétitions avec haltères de 4-5 kg (8-10 lb), 2-3 séries

les paumes vers l'intérieur

les coudes arrondis

1 Étendez-vous sur le marchepied, les pieds sur le plancher. Contractez les abdominaux pour maintenir la colonne droite et empêcher que le bas du dos forme un arc. Avec un haltère dans chaque main, étirez les bras au-dessus des épaules.

2 Posez les omoplates bien à plat, inspirez et ouvrez lentement les bras vers les côtés en faisant un mouvement courbé. Expirez pendant que vous revenez à la position de départ en effectuant le même mouvement courbé jusqu'à ce que les haltères se touchent légèrement. Répétez tel qu'indiqué.

CONSEIL DE JOAN

Gardez les omoplates basses et rappro- chées pendant que vous levez les bras.

vous le ressentez ici

les omoplates bien à plat

les coudes arrondis

Descente avec les triceps

Pour exécuter ces fléchissements, il faut que les épaules soient bien tendues ; si elles s'affaissent vers l'avant, la tension se reportera sur les articulations. Si vous tenez la bonne position, vous allez ressentir le travail des triceps et des muscles sous les omoplates.

Commencez au niveau 1, puis progressez à votre rythme aux niveaux 2 et 3	
NIVEAU 1	10 répétitions, 1-2 séries
NIVEAU 2	12-15 répétitions, 1-2 séries
NIVEAU 3	20 répétitions, 2-3 séries

ne laissez pas les épaules s'incliner vers l'avant

pliez les coudes derrière vous

abaissez les hanches vers le sol

1 Assoyez-vous sur le bord du marchepied, les genoux pliés, les pieds à plat sur le sol, les bras droits et les mains sur le bord de la plateforme. En supportant votre poids avec les bras, soulevez les hanches. Inspirez et pliez lentement les coudes en abaissant les hanches vers le sol.

Variante avec les jambes droites
Pour augmenter la tension sur les triceps, allongez les jambes avant de vous abaisser. Il y a ainsi plus de poids sur le haut du corps, ce qui accroît la résistance.

gardez les jambes droites avant de fléchir

2 Pendant que vous expirez, pressez les paumes pour raidir les bras et relevez les hanches jusqu'à la hauteur de la plateforme. Ne bloquez pas les coudes. Répétez tel qu'indiqué.

vous le ressentez ici

raidissez les bras pour soulever les hanches

pressez avec les paumes

Redressement avec pédalage

Des études ont démontré que cet exercice est l'un des plus efficaces pour les abdominaux parce qu'il fait intervenir les quatre muscles de l'abdomen, soit le grand droit, le droit interne et les obliques (voir pp. 28-29).

Commencez au niveau 1, puis progressez à votre rythme aux niveaux 2 et 3	
NIVEAU 1	10 répétitions (1 répétition = les deux côtés), 1-2 séries
NIVEAU 2	12-15 répétitions, 1-2 séries
NIVEAU 3	20 répétitions, 1-2 séries

les genoux pliés au-dessus des hanches

posez la tête sur le bout des doigts

1 Étendez-vous sur le dos, les genoux au-dessus des hanches, les mollets parallèles au sol, les pieds en l'air. Posez la tête sur le bout des doigts, les pouces derrière les oreilles.

CONSEIL DE JOAN

Pour augmenter l'intensité de cet exercice, maintenez chaque torsion durant trois secondes.

2 Contractez les abdominaux et levez la tête et les épaules, puis tournez l'épaule gauche vers le genou droit pendant que vous étirez la jambe gauche. Revenez à la position de départ et recommencez de l'autre côté. Expirez à chaque levée et torsion. Répétez tel qu'indiqué.

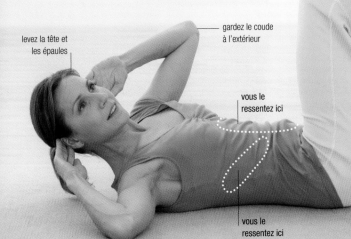

gardez le coude à l'extérieur

levez la tête et les épaules

étendez la jambe à 45 degrés

vous le ressentez ici

vous le ressentez ici

La tortue sur le dos

Cet exercice, de même que le suivant, développe les abdominaux sans flexion de la colonne. Les deux varieront votre programme d'exercices de redressement, tout en offrant une façon sécuritaire de faire travailler vos abdominaux si vous avez un problème osseux comme l'ostéoporose.

Commencez au niveau 1, puis progressez à votre rythme aux niveaux 2 et 3	
NIVEAU 1	5-10 répétitions (1 répétition = les deux côtés), 1 série
NIVEAU 2	15 répétitions, 1 série
NIVEAU 3	10 répétitions en maintenant la position étirée 5-10 secondes, 1 série

les mains directement au-dessus des épaules

les hanches et les genoux à angle droit

1 Étendez-vous sur le dos, les hanches et les genoux à angle droit, les pieds en l'air. Étirez les bras vers le haut directement au-dessus des épaules, les paumes vers l'intérieur.

2 Rentrez le nombril. Abaissez le bras gauche derrière la tête pendant que vous étirez lentement la jambe droite en l'abaissant le plus bas possible sans courber le dos. Ramenez le genou gauche vers la poitrine. Revenez à la position initiale et répétez en changeant de côté.

le genou gauche vers la poitrine

la main gauche abaissée au-dessus de la tête

vous le ressentez ici

la jambe droite abaissée près du sol

ne courbez pas le dos

Planche et fléchissement du genou

Cet exercice développe les extenseurs de la colonne vertébrale en plus des abdominaux (voir pp. 28-29); il est donc bon pour le tronc et pour renforcer le dos. Mobilisez vos abdominaux pour stabiliser votre torse durant les séries.

Commencez au niveau 1, puis progressez à votre rythme aux niveaux 2 et 3	
NIVEAU 1	5-10 répétitions (1 répétition = les deux côtés), 1-2 séries
NIVEAU 2	12-15 répétitions, 1-2 séries
NIVEAU 3	20 répétitions, 1-2 séries

1 Position de départ comme ci-contre. Contractez les abdominaux pour stabiliser le torse. Étirez les jambes et tenez-vous sur la pointe des pieds pour former une ligne droite de la tête aux talons. Serrez les omoplates vers le bas.

les mains sous les épaules, pointant vers l'avant

ligne droite de la tête aux talons

2 Les hanches parallèles au sol et le torse droit, abaissez le genou gauche près du sol, puis redressez-vous et changez de jambe. Continuez à alterner pour compléter la séquence.

les omoplates vers le bas et rapprochées

niveau des hanches constant

le genou droit abaissé vers le sol

ÉCHAUFFEMENT POUR **36-45** ANS

Rebondir sur le ballon d'équilibre augmente le rythme cardiaque et accélère la circulation sanguine. Commencez les bonds en poussant sur le sol avec vos pieds, et en serrant les hanches et les cuisses pour vous soulever du ballon. Les abdominaux et les extenseurs travailleront ensemble pour conserver votre torse droit pendant que vous mettez au défi votre équilibre et votre coordination.

Bondir en marchant

regardez droit devant

les abdominaux mobilisés

les pieds parallèles écartés de la largeur des hanches

le pied gauche à plat sur le sol

le talon droit soulevé

1 Assoyez-vous sur le ballon, un peu en avant du centre. Mettez vos pieds en parallèle, écartés de la largeur les hanches, et laissez tomber les bras sur les côtés. Appuyez légèrement les mains sur le ballon pour avoir un meilleur équilibre. Gardez le haut du corps vertical, regardez droit devant et tirez les abdominaux vers le nombril.

2 Commencez à rebondir. Quand vous aurez adopté un rythme régulier et que vous vous sentirez en équilibre sur le ballon, poussez avec les orteils du pied droit sur le sol en soulevant le talon. Au bond suivant, changez de côté, cette fois en relevant le talon gauche. Changez de côté à chaque bond.

3 Pendant que vous continuez à rebondir, levez le pied droit et le genou droit, tandis que le pied gauche demeure au sol. Au bond suivant, levez le pied et le genou gauche. Continuez en alternant les côtés. Les bras demeurent sur les côtés.

le bras gauche en l'air

le genou droit relevé

le genou droit relevé

4 Ajoutez maintenant un mouvement du haut du corps en levant le bras opposé en même temps que chaque lever du genou. Graduellement, étirez le bras plus haut. Continuez à changer de côté.

• **Répétitions :** 20 (1 répétition = les deux côtés)

Coup de pied avec le bras en l'air

regardez
droit devant

les mains sur
les côtés

2 Au moment d'un bond, étendez la jambe droite vers l'avant légèrement décentrée, en posant le talon au sol et en relevant les orteils. En même temps, élevez le bras gauche un peu de côté. Au bond suivant, retournez au centre ; répétez en changeant de côté.

• **Répétitions :** 20 (1 répétition = les deux côtés)

le bras gauche
en l'air vers
le côté

la jambe droite
en extension

1 Dans cette phrase de transition, continuez à effectuer des bonds, les bras sur les côtés, les mains touchant au ballon ou balançant légèrement.

Danse cosaque

les bras devant
à hauteur des
épaules

1 Dans cette transition vers un nouveau mouvement, levez les deux bras au niveau des épaules pendant que vous continuez à faire des bonds. Les paumes sont tournées vers le bas et les pieds à plat sur le sol, écartés de la largeur des hanches.

2 Au moment d'un bond, étendez le bras droit et la jambe droite vers le côté et ramenez la main gauche en face de l'épaule. Gardez le coude ouvert au niveau de l'épaule. Au bond suivant, revenez à la position initiale et recommencez de l'autre côté.

• **Répétitions :** 20 (1 répétition = les deux côtés)

le bras droit
allongé sur le côté

le coude plié à
hauteur de l'épaule

la jambe droite en
extension sur le côté

Saut de polichinelle

Sauter les deux pieds écartés demande plus de maîtrise que de garder un pied au sol.

2 Au moment d'un bond, lancez les genoux et les pieds en position écartée en levant simultanément les bras au-dessus de la tête. Au bond suivant, ramenez les jambes à la position initiale et les bras vers le bas pour taper sur le ballon avec les mains.
- **Répétitions :** 20

1 Durant la phase de transition, continuez à rebondir, les bras sur le côté, les pieds parallèles écartés de la largeur des hanches, et préparez-vous pour le mouvement suivant.

LE PROGRAMME DES **36-45** ANS

Dès l'âge de 25 ans, il peut se produire des changements subtils dans la composition du corps qui ne se reflètent pas nécessairement sur le pèse-personne. Même si vous maintenez votre poids avec le temps, vous pouvez vous attendre à avoir perdu 2 kilos de muscle et à avoir gagné 2 kilos de gras quand vous atteindrez 50 ans, à moins d'avoir fait des exercices de musculation qui auront contenu ces changements.

Flexion des jambes en appui sur ballon

Voici un exercice classique avec le ballon d'équilibre. Si vous n'avez jamais fait de flexion des jambes, vous aurez un avant-goût parfait de la version debout sans appui. La flexion des jambes en appui sur ballon donne de la force aux jambes et vous aide à maintenir une bonne posture, les genoux au-dessus des chevilles.

Commencez au niveau 1, puis progressez à votre rythme aux niveaux 2 et 3	
NIVEAU 1	10 répétitions sans haltères, 1-2 séries
NIVEAU 2	12-15 répétitions avec haltères de 2-4 kg (5-8 lb), 1-2 séries
NIVEAU 3	8-12 répétitions avec haltères de 5-5,5 kg (10-12 lb), 2-3 séries

gardez le haut du corps vertical

les pieds écartés de la largeur des hanches

les genoux au-dessus des chevilles

1 Prenez un haltère dans chaque main, les paumes vers l'intérieur, et placez le ballon sur le mur de telle sorte qu'il repose dans la courbe du dos. Tout en faisant porter votre poids sur le ballon, faites quelques pas vers l'avant jusqu'à ce que vos jambes soient droites.

2 Le dos droit, pliez lentement les genoux jusqu'à ce que les cuisses soient parallèles ou le plus loin possible. Assurez-vous que les genoux soient au-dessus des chevilles. Faites une brève pause, puis serrez les fesses pour remonter.

Fente avant avec ballon

Cette variante de la fente fait intervenir tous les muscles en faisant bouger le haut, le bas et le centre du corps. Ce genre d'exercice reproduit en fait les mouvements du corps dans la vie quotidienne, nous préparant donc à mieux accomplir toutes les petites tâches journalières.

Commencez au niveau 1, puis progressez à votre rythme aux niveaux 2 et 3	
NIVEAU 1	10 répétitions, 1-2 séries
NIVEAU 2	12-15 répétitions, 1-2 séries
NIVEAU 3	20 répétitions, 1-2 séries

1 Les pieds parallèles écartés de la largeur des hanches, tenez le ballon à hauteur de la taille avec vos deux mains, les coudes à angle droit. Redressez la colonne et contractez les abdominaux.

2 Inspirez en faisant un pas vers l'avant avec la jambe droite. En pliant les deux genoux, avancez et déposez le ballon sur le sol. Pendant que vous expirez, revenez à la position de départ. Répétez tel qu'indiqué, puis changez de jambe et recommencez.

les coudes à angle droit

les pieds parallèles écartés de la largeur des hanches

la colonne droite

les bras droits

terminez sur les orteils du pied arrière

Flexion latérale avec élévation du genou

Cet exercice fait travailler les muscles des hanches, des cuisses et des fesses en même temps qu'il fait intervenir votre sens de l'équilibre, surtout si vous faites une pause avec le genou levé à l'étape 2. Déterminez laquelle de vos jambes est la plus instable et commencez de ce côté.

Commencez au niveau 1, puis progressez à votre rythme aux niveaux 2 et 3	
NIVEAU 1	10 répétitions, 1-2 séries
NIVEAU 2	12-15 répétitions, 1-2 séries
NIVEAU 3	20 répétitions, 1-2 séries

la tête et la poitrine relevées

les genoux pliés

les pieds parallèles

2 Expirez, redressez les jambes, puis levez le genou droit à hauteur de la hanche. Revenez tout de suite en position accroupie. Exécutez le nombre de répétitions requis et changez de jambe.

le genou à hauteur de la hanche

1 Tenez-vous debout, les pieds parallèles écartés de la largeur les hanches, les genoux souples, le ballon devant vous (voir petite photo). Faites un grand pas de côté avec la jambe droite en gardant les pieds bien parallèles. Inspirez et accroupissez-vous en pliant les deux genoux pour abaisser les hanches.

Élévation arrière des jambes sur ballon

Cette variante de l'élévation arrière des jambes vise trois endroits problématiques : les fessiers, les ischio-jambiers et les adducteurs (voir pp. 28-29). En faisant cet exercice sur le ballon, vous mettez au défi votre sens de l'équilibre et votre stabilité. Il mobilise les muscles du bassin, vos abdominaux et votre dos se contractant pour maintenir la position.

Commencez au niveau 1, puis progressez à votre rythme aux niveaux 2 et 3	
NIVEAU 1	10 répétitions, 1-2 séries
NIVEAU 2	12-15 répétitions, 1-2 séries
NIVEAU 3	20 répétitions, 1-2 séries

les pieds forment un «V»

les poignets sous les épaules

1 Étendue sur le ballon, avancez jusqu'à ce que vos hanches reposent sur le haut du ballon. Les bras sont droits, les poignets sous les épaules, les jambes étirées avec les orteils qui touchent au sol. Formez un «V» en écartant largement les jambes.

2 Serrez les fessiers et levez lentement les jambes jusqu'à la hauteur des hanches. Utilisez les adducteurs pour joindre les jambes. Faites une pause et reprenez la position en «V». Recommencez.

les pieds joints

vous le ressentez ici

la tête et le cou alignés avec la colonne

CONSEIL DE JOAN

Pour conserver un bon alignement de la tête, du cou et de la colonne, gardez le nez pointé vers le sol.

Ramer en position assise

Le développement du grand dorsal (voir pp. 28-29) améliorera vos performances sportives en donnant plus d'énergie à votre service au tennis, à votre élan au golf et à vos mouvements en natation. Si vous pratiquez la course à pied, cet exercice vous aidera aussi à maintenir le haut du corps droit.

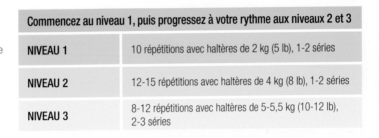

Commencez au niveau 1, puis progressez à votre rythme aux niveaux 2 et 3	
NIVEAU 1	10 répétitions avec haltères de 2 kg (5 lb), 1-2 séries
NIVEAU 2	12-15 répétitions avec haltères de 4 kg (8 lb), 1-2 séries
NIVEAU 3	8-12 répétitions avec haltères de 5-5,5 kg (10-12 lb), 2-3 séries

2 Pendant que vous expirez, levez les haltères à hauteur de la poitrine en pliant les coudes vers l'arrière à hauteur des épaules. Inspirez et reprenez la position de départ. Répétez le nombre de fois voulu.

penchez-vous vers l'avant à partir des hanches

les paume tournées vers l'intérieur

vous le ressentez ici

les coudes à 90 degrés

gardez les bras près du corps

1 Assoyez-vous sur le ballon avec un haltère dans chaque main. Tout en gardant le dos droit, penchez-vous vers l'avant à partir des hanches pour former un angle de 45 degrés. Rentrez les omoplates et inspirez.

Pull-over

Voici un exercice plaisant qui procure un bon étirement de l'abdomen pendant que travaillent ensemble le grand dorsal et les pectoraux. C'est une transition douce entre le travail du dos et celui de la poitrine. Pour viser les bons muscles, assurez-vous de garder les coudes arrondis et de bouger à partir des épaules.

Commencez au niveau 1, puis progressez à votre rythme aux niveaux 2 et 3	
NIVEAU 1	10 répétitions avec haltères de 1 kg (3 lb), 1-2 séries
NIVEAU 2	12-15 répétitions avec haltères de 2 kg (5 lb), 1-2 séries
NIVEAU 3	8-12 répétitions avec haltères de 4-5 kg (8-10 lb), 2-3 séries

les hanches relevées

les coudes arrondis

1 Assise sur le ballon, roulez vers l'avant jusqu'à la position du pont, la tête, le cou et les épaules bien appuyés. Un haltère dans chaque main, étirez les bras vers le plafond, les paumes vers l'intérieur (petite photo). Abaissez les omoplates, inspirez, puis baissez les haltères derrière votre tête. Gardez les bras en ligne avec les épaules, les poignets arrondis.

vous le ressentez ici

2 Pendant que vous expirez, ramenez les haltères vers le bas juste au-dessus de la taille. Pour faciliter ce mouvement, vous pouvez appuyer les haltères l'un contre l'autre ou n'utiliser qu'un seul haltère entre vos deux mains. Gardez les hanches soulevées et recommencez.

Développé en alternance

Voici un exercice classique que nous avons rendu plus intéressant en l'exécutant sur une surface instable. Pour maintenir la position, il faut une bonne stabilité du bassin et de la force dans le bas du corps.

Commencez au niveau 1, puis progressez à votre rythme aux niveaux 2 et 3	
NIVEAU 1	10 répétitions avec haltères de 1 kg (3 lb), 1-2 séries
NIVEAU 2	12-15 répétitions avec haltères de 2 kg (5 lb), 1-2 séries
NIVEAU 3	8-12 répétitions avec haltères de 4-5 kg (8-10 lb), 2-3 séries

1 De la position assise sur le ballon et avec un haltère dans chaque main, faites le pont. Levez les bras vers le plafond, puis baissez les coudes sur les côtés jusqu'à ce qu'ils forment un angle droit.

les paumes vers l'avant

les poignets droits

les avant-bras parallèles

le bras droit mais pas tendu

vous le ressentez ici

les hanches relevées

les pieds parallèles écartés de la largeur des hanches

2 Pendant que vous expirez, étendez un bras vers le plafond sans bloquer le coude. Inspirez pendant que vous ramenez l'haltère à la position de départ. Faites une pause et recommencez avec l'autre bras. Alternez les bras pendant que vous effectuez les répétitions.

Extension du triceps

Le triceps constitue souvent un problème pour les femmes, car il est situé à un endroit sous le bras où la graisse a tendance à se déposer. Pour améliorer l'aspect et le tonus de cette région, nous proposons une stratégie en deux temps consistant à raffermir le muscle par la musculation et à réduire la graisse accumulée par le travail de cardio.

Commencez au niveau 1, puis progressez à votre rythme aux niveaux 2 et 3	
NIVEAU 1	10 répétitions avec haltère de 1 kg (3 lb), 1-2 séries
NIVEAU 2	12-15 répétitions avec haltère de 2 kg (5 lb), 1-2 séries
NIVEAU 3	8-12 répétitions avec haltère de 4 kg (8 lb), 2-3 séries

1 De la position assise sur le ballon, roulez pour faire le pont, la tête, le cou et les épaules bien appuyés. Un haltère dans la main droite, pliez le coude à 90 degrés. Supportez le coude avec la main gauche.

supportez le coude avec la main gauche

les hanches élevées

la paume vers l'intérieur, le poignet droit

vous le ressentez ici

la tête, le cou et les épaules bien appuyés

2 En supportant toujours l'arrière du coude avec la main gauche, expirez et redressez le bras vers le plafond. Répétez le mouvement tel qu'indiqué, changez de bras et recommencez.

les genoux au-dessus des chevilles

Flexion des biceps

Le biceps est un des premiers muscles à réagir à l'entraînement, ce qui rend la vie plus facile lorsque vous tirez, soulevez ou portez un objet. Poser le pied sur une surface aussi instable que le ballon pendant que vous faites cet exercice vous aidera à améliorer la stabilité de votre bassin et votre équilibre.

Commencez par le niveau 1, puis progressez à votre rythme aux niveaux 2 et 3	
NIVEAU 1	10 répétitions avec haltères de 1 kg (3 lb), 1-2 séries
NIVEAU 2	12-15 répétitions avec haltères de 2 kg (5 lb), 1-2 séries
NIVEAU 3	8-12 répétitions avec haltères de 4-5 kg (8-10 lb), 2-3 séries

les paumes vers l'avant

vous le ressentez ici

vous le ressentez ici

Variante plus facile
Si vous avez de la difficulté à garder votre équilibre sur une jambe tandis que l'autre pied est posé sur le ballon, faites le même exercice avec une seule jambe reposant sur le sol.

1 Un haltère dans chaque main, les bras de côté, paumes des mains tournées vers l'avant, et le genou souple, mettez-vous en équilibre sur la jambe droite et déposez le pied gauche sur le ballon.

2 Expirez et pliez les coudes pour amener les haltères vers le haut près des épaules. Faites une pause, puis inspirez et rabattez les bras pour reprendre la position initiale. Répétez le mouvement tel qu'indiqué.

Redressement avec torsion

Un des meilleurs moyens de faire travailler vos abdominaux consiste à effectuer des redressements sur le ballon. Ajouter une torsion mobilise les obliques, tandis que l'haltère fait travailler davantage les muscles pour les renforcer. La torsion a ainsi plus de puissance et le torse peut rester droit pendant qu'il tourne.

Commencez au niveau 1, puis progressez à votre rythme aux niveaux 2 et 3	
NIVEAU 1	10 répétitions avec haltère de 1 kg (3 lb), 1-2 séries
NIVEAU 2	12-15 répétitions avec haltère de 2 kg (5 lb), 1-2 séries
NIVEAU 3	12-15 répétitions avec haltère de 4 kg (8 lb), 1-2 séries

les genoux au-dessus des hanches

1 De la position assise, roulez vers le bas jusqu'à ce que le milieu du dos soit bien appuyé sur le ballon. Gardez la tête et le cou bien alignés avec la colonne et parallèles au plancher. Saisissez un haltère avec les deux mains et tenez-le contre votre poitrine. Inspirez.

gardez les coudes éloignés

2 Pendant que vous expirez, contractez les abdominaux, puis relevez la tête et le cou en tournant l'épaule gauche vers la hanche droite. Tenez cette position, inspirez et revenez lentement au centre. Répétez de l'autre côté, puis effectuez le nombre de répétitions indiqué.

Pousser/tirer le ballon

Cet exercice qui renforce le bassin fait appel aux abdominaux et aux érecteurs (voir pp. 28-29) et constitue une bonne alternative aux redressements sans fin. Si vous avez un problème de colonne, c'est un moyen parfait pour faire travailler vos abdominaux sans avoir à arrondir le haut du dos, ce qui pourrait fatiguer les vertèbres.

Commencez au niveau 1, puis progressez à votre rythme aux niveaux 2 et 3	
NIVEAU 1	10 répétitions, 1-2 séries
NIVEAU 2	12-15 répétitions, 1-2 séries
NIVEAU 3	20 répétitions, 1-2 séries

1 À genoux devant le ballon, les genoux écartés de la largeur des hanches, posez les mains sur le ballon. Tirez et contractez les abdominaux, et abaissez les omoplates.

abaissez les omoplates

le corps en ligne droite des épaules aux genoux

les bras droits

2 Poussez le ballon vers l'avant, en abaissant les hanches pendant que vous déplacez votre poids sur le ballon. Puis, à l'aide de vos abdominaux, ramenez le ballon vers vous et reprenez une position droite. Répétez le mouvement tel qu'indiqué.

vous le ressentez ici

le corps à 45 degrés par rapport au sol

Mouvement carpé sur ballon

Cet exercice fait travailler toute la région abdominale, mais vous en ressentirez les effets surtout dans le droit interne (voir pp. 28-29). Ne tentez pas la version avancée de la page suivante avant d'être certaine de pouvoir exécuter le niveau 3 de la version de base.

Commencez au niveau 1, puis progressez à votre rythme aux niveaux 2 et 3	
NIVEAU 1	10 répétitions, 1-2 séries
NIVEAU 2	12-15 répétitions, 1-2 séries
NIVEAU 3	20 répétitions, 1-2 séries

les tibias sur le ballon

les poignets sous les épaules

1 En partant d'une position tête en bas sur le ballon (voir pp. 34-35), avancez les mains jusqu'à ce que les poignets soient directement sous les épaules et que vos tibias reposent sur le ballon, les pieds et les jambes joints. Votre corps devrait former une ligne droite de la tête aux talons. Inspirez.

les hanches relevées

les genoux pliés

2 Pendant que vous expirez, resserrez les abdominaux et pliez les genoux vers l'intérieur et la poitrine, de façon à tirer le ballon en relevant les hanches. Inspirez pendant que vous raidissez les jambes pour renvoyer le ballon en arrière dans la position originale. Répétez tel qu'indiqué, en

Variante plus facile
Si vous débutez, réduisez la portée du mouvement : commencez avec le ballon sous les cuisses et ramenez-le à partir de vos genoux plutôt que de vos jambes.

Mouvement carpé sur ballon, version avancée

1 Avancez jusqu'à ce que vos poignets soient sous vos épaules et que vos tibias reposent sur le ballon. Utilisez vos abdominaux pour que le bas de votre dos demeure aligné avec vos hanches et vos épaules. Inspirez.

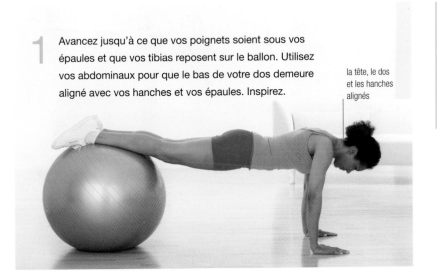

la tête, le dos et les hanches alignés

CONSEIL DE JOAN

Assurez-vous que la tête et le cou soient alignés avec la colonne quand vous bougez le torse.

2 Expirez pendant que vous resserrez les abdominaux et relevez les hanches dans un mouvement continu pour que votre corps forme un « V » inversé, la pointe des pieds reposant sur le ballon. Faites une pause, inspirez et revenez à la position de départ, puis recommencez.

les hanches relevées

la pointe des pieds sur le ballon

ÉCHAUFFEMENT POUR **26-35** ANS

Les exercices qui suivent sont plus exigeants que dans les groupes d'âge précédents, et requièrent des jambes fortes et des genoux en santé. Plusieurs variantes du mouvement de fente combinées avec des mouvements du haut du corps actionnent une sorte de «pompe centrale» qui va produire un rythme cardiaque élevé et augmenter le rythme respiratoire. Au début, il est préférable d'apprendre les variantes de fente d'abord, puis d'ajouter ensuite les mouvements du haut du corps.

Fente à portée restreinte

gardez le haut du corps bien vertical

pliez le genou arrière à mi-hauteur vers le sol

Fente complète

pliez le genou arrière près du sol

Si vous êtes une débutante ou que vous avez des problèmes de genoux, effectuez les exercices d'échauffement de cette section en restreignant la portée du mouvement; il suffit de plier le genou arrière à mi-hauteur. Si vous ressentez des douleurs aux genoux, oubliez ces exercices et faites plutôt d'autres exercices d'échauffement, comme les pas des pages 38 à 43 ou les exercices au marchepied des pages 58 à 64.

Si vous êtes en forme et en santé, que vous n'avez pas de problèmes de genoux et que vos jambes sont déjà fortes, vous pouvez exécuter le mouvement complet dans votre échauffement. Pliez le genou arrière à 8-10 cm (3-4 po) du sol en gardant toujours le genou avant à angle droit directement au-dessus de la cheville.

Fente avant

levez les bras
au-dessus de
la tête

2 Inspirez pendant que vous avancez
la jambe droite en pliant les deux
genoux vers le sol ; en même temps,
levez les bras au-dessus de la tête.
Prenez soin de garder le genou avant
directement au-dessus de la cheville.
Expirez en reprenant la position
de départ. Changez de côté et
recommencez.

• **Répétitions :** 10 dans chaque position
(1 répétition = les deux côtés)

transférez votre
poids sur la
jambe gauche

1 Les pieds parallèles écartés de
la largeur des hanches et les
bras détendus sur les côtés,
transférez votre poids sur la
jambe gauche.

le genou droit
au-dessus de
la cheville

le genou
gauche près
du sol

Fente en diagonale

1 Commencez en position debout, les pieds collés et les bras sur les côtés (voir petite photo ci-contre). Pivotez sur le pied droit, puis allongez la jambe gauche en diagonale à la position de 11 heures. En même temps, levez les bras et tournez le torse dans la direction de l'ouverture.

position de 11 heures

le torse tourné dans la même direction

pivot sur la pointe du pied

CONSEIL DE JOAN

En faisant pivoter votre pied gauche dans la direction de l'ouverture, gardez le pied, la cheville, le genou et la hanche bien alignés.

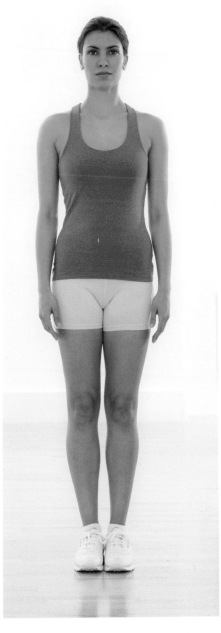

les paumes vers l'intérieur

ouvrez vers 1 heure

le genou aligné avec la cheville et le pied

2 Expirez en revenant en arrière en pivotant pour reprendre la position. Les pieds collés et les bras sur les côtés, préparez-vous à ouvrir dans l'autre direction.

3 Pivotez sur le pied gauche et allongez la jambe droite en levant les bras à la hauteur des épaules et en tournant le haut du corps dans la direction de l'ouverture. Continuez en alternant les côtés.

- **Répétitions :** 10 (1 répétition = les deux côtés)

Fente latérale

le bras gauche
au-dessus de
la tête

*La jambe qui travaille
plie quand vous
ouvrez vers le côté;
l'autre jambe
demeure droite*

En position comme ci-dessus, ouvrez à
gauche à 9 heures en commençant avec
la jambe gauche et en pliant le genou
directement au-dessus de la cheville.
En même temps, élevez le bras gauche
vers le centre au-dessus de la tête. Gardez
la jambe droite bien droite. Expirez et
revenez à la position initiale; inspirez et
ouvrez vers 3 heures en commençant avec
la jambe droite et en élevant le bras droit
au-dessus de la tête.

• **Répétitions :** 10 dans chaque position
(1 répétition = les deux côtés)

le genou
gauche plié
au-dessus
de la cheville

la jambe
droite bien
droite

Fente arrière

Commencez dans la position indiquée ci-dessus. Faites un pas en arrière avec la jambe droite et pliez les deux genoux tout en levant les deux bras au-dessus de la tête, paumes des mains tournées vers l'intérieur. Expirez et revenez à la position de départ, en abaissant les bras quand vous avancez. Changez de côté et recommencez tel qu'indiqué.

• **Répétitions :** 10 dans chaque position (1 répétition = les deux côtés)

le genou gauche plié au-dessus de la cheville

pas en arrière avec la jambe droite

LE PROGRAMME DES **26-35** ANS

Lever des haltères courts ressemble à un sport, développant vos muscles en même temps que votre équilibre et votre coordination. Cette série d'exercices exigeants requiert un bassin fort, surtout pour supporter le bas du dos dans des positions inclinées vers l'avant. Si vous avez des problèmes de colonne, exécutez les exercices assis ou choisissez un autre des programmes de résistance.

Flexion légère avec développé au-dessus de la tête

En combinant le travail du bas et du haut du corps avec le maintien de l'équilibre, cet exercice complet fait travailler en harmonie plusieurs groupes de muscles. Les exercices faisant appel à un seul bras ou une seule jambe représentent de bons défis pour votre bassin, car votre tronc doit rester stable pendant que vos membres bougent.

Commencez au niveau 1, puis progressez à votre rythme aux niveaux 2 et 3	
NIVEAU 1	10 répétitions avec haltères de 1 kg (3 lb), 1-2 séries
NIVEAU 2	12-15 répétitions avec haltères de 2 kg (5 lb), 1-2 séries
NIVEAU 3	8-12 répétitions avec haltères de 4 kg (8 lb), 2-3 séries

les paumes vers l'intérieur

le genou droit légèrement fléchi

les bras droits mais pas rigides

vous le ressentez ici

1 En équilibre sur la jambe droite, contractez les abdominaux et les fessiers pour stabiliser le torse. Tenez un haltère dans chaque main devant les épaules, les coudes près des côtés.

2 Inspirez en maintenant votre équilibre sur la jambe droite. En expirant, élevez lentement les bras. Faites une courte pause.

3 En inspirant, abaissez les haltères au niveau des épaules, toujours en équilibre, et fléchissez légèrement la jambe droite. Expirez pendant que vous redressez la jambe et répétez la séquence sans poser le pied sur le sol. Exécutez le nombre de répétitions requis, changez de côté et recommencez.

Ramenez les hanches en arrière pendant que vous pliez le genou pour le maintenir aligné avec les orteils.

le pied en l'air _____

Position plus facile
Si vous avez de la difficulté sur une jambe, commencez avec les deux pieds bien plantés au sol jusqu'à ce que vos jambes soient plus fortes.

Soulevé de terre

Il s'agit ici de plier vers l'avant à partir des hanches en gardant la colonne droite, puis de se redresser. C'est un bon exercice pour les muscles de la colonne, le grand fessier et les ischio-jambiers (voir pp. 28-29). Ne faites pas cet exercice si vous avez des problèmes au bas du dos.

Commencez au niveau 1, puis progressez à votre rythme aux niveaux 2 et 3	
NIVEAU 1	10 répétitions avec haltères de 2 kg (5 lb), 1-2 séries
NIVEAU 2	12-15 répétitions avec haltères de 4 kg (8 lb), 1-2 séries
NIVEAU 3	8-12 répétitions avec haltères de 5-5,5 kg (10-12 lb), 2-3 séries

les paumes vers l'intérieur

les genoux droits mais souples

les pieds parallèles écartés de la largeur des hanches

1 Debout, les pieds parallèles, les genoux droits mais souples, tenez un haltère dans chaque main devant les cuisses, les bras droits et les paumes tournées vers l'intérieur. Mobilisez vos abdominaux pour maintenir la colonne en position neutre.

2 Penchez-vous vers l'avant à partir des hanches pour abaisser les haltères jusqu'aux mollets, jusqu'à ce que vous sentiez les ischio-jambiers s'étirer. Contractez les fessiers, expirez et redressez-vous. Répétez le mouvement tel qu'indiqué.

vous le ressentez ici

la colonne en position neutre

les abdominaux mobilisés

les bras alignés avec les épaules

Élévation arrière de la jambe

Voici un très bon exercice pour développer la force et l'équilibre de l'ensemble du corps. Les muscles du bassin travaillent pour stabiliser le torse en position allongée, l'élévation arrière de la jambe fait appel aux ischio-jambiers et aux fessiers, et les haltères font travailler le haut du corps.

Commencez au niveau 1, puis progressez à votre rythme aux niveaux 2 et 3	
NIVEAU 1	10 répétitions avec haltères de 2 kg (5 lb), 1-2 séries
NIVEAU 2	12-15 répétitions avec haltères de 4 kg (8 lb), 1-2 séries
NIVEAU 3	20 répétitions avec haltères de 5 kg (10 lb), 1-2 séries

ligne droite de l'épaule à la cheville

les paumes vers l'intérieur

les orteils au sol

1 Avec un haltère dans chaque main, reportez tout votre poids sur la jambe gauche, le genou plié. Redressez le dos et penchez-vous en pliant vers l'avant à partir des hanches pendant que vous allongez la jambe droite derrière vous. Déposez légèrement les orteils sur le sol pour former une ligne droite de l'épaule jusqu'au pied.

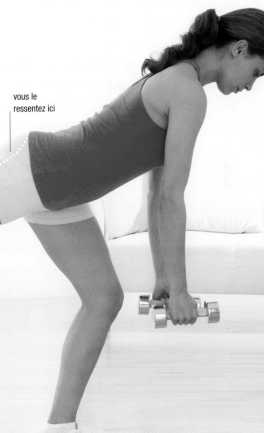

vous le ressentez ici

2 Continuez à avancer vers l'avant jusqu'à ce que le dos soit presque parallèle au sol. Tout en gardant les hanches droites et la jambe droite tendue, relevez celle-ci à la hauteur de la hanche. Abaissez le pied droit au sol sans y toucher, puis relevez la jambe. Faites toutes les répétitions requises d'un côté, puis de l'autre.

Plié avec élévation des épaules

Le mouvement du plié fait travailler les adducteurs de l'intérieur des cuisses, de même que les fessiers, les ischio-jambiers et les quadriceps. Pour un bénéfice maximum, serrez l'intérieur des cuisses et les fesses quand vous redressez les jambes. Avec l'élévation des épaules, vous avez deux exercices en un.

Commencez au niveau 1, puis progressez à votre rythme aux niveaux 2 et 3	
NIVEAU 1	10 répétitions avec haltère de 2 kg (5 lb), 1-2 séries
NIVEAU 2	12-15 répétitions avec haltère de 4 kg (8 lb), 1-2 séries
NIVEAU 3	8-12 répétitions avec haltère de 5 kg (10 lb), 2-3 séries

les jambes tournées à 45 degrés

vous le ressentez ici

gardez le torse droit

les genoux au-dessus des pieds

1 Debout, les pieds écartés d'un peu plus que la largeur des hanches, reportez votre poids vers les talons et tournez les pieds vers l'extérieur à un angle de 45 degrés. Tenez l'haltère comme dans la photo.

2 Pendant que vous inspirez, pliez les genoux jusqu'à ce que les cuisses soient parallèles au sol. En même temps, levez l'haltère à la hauteur de la poitrine. Expirez et resserrez les fesses et l'intérieur des cuisses pour revenir à la position de départ. Répétez tel qu'indiqué.

Ramer en position penchée

Pour donner une belle silhouette à votre buste, vous devez faire des exercices qui développent le grand dorsal (voir pp. 28-29), ce muscle qui donne au dos sa forme en « V ». En le raffermissant, vous paraîtrez mieux dans vos vêtements et tout votre corps changera d'apparence parce que votre posture va s'améliorer.

Commencez au niveau 1, puis progressez à votre rythme aux niveaux 2 et 3	
NIVEAU 1	10 répétitions avec haltères de 2 kg (5 lb), 1-2 séries
NIVEAU 2	12-15 répétitions avec haltères de 4 kg (8 lb), 1-2 séries
NIVEAU 3	8-12 répétitions avec haltères de 5-5,5 kg (10-12 lb), 2-3 séries

1 Penchez-vous vers l'avant à partir des hanches jusqu'à ce que votre dos soit parallèle au sol. Assurez-vous de garder le dos droit tout en maintenant la légère courbe dans le bas du dos. Tenez un haltère dans chaque main, les bras étendus vers le sol, paumes des mains vers l'intérieur.

gardez le coude replié près du corps

vous le ressentez ici

vous le ressentez ici

2 Tirez l'omoplate droite vers la colonne, puis pliez le coude droit et levez l'haltère à la hauteur de la taille, en gardant le coude collé contre vous. Abaissez lentement le bras droit et répétez avec le bras gauche (vous avez fait une répétition). Répétez tel qu'indiqué, en alternant les côtés.

Pour les débutantes
Si vous n'avez pas assez de force dans le bassin pour faire cet exercice, vous en retirerez quand même tous les bénéfices en l'effectuant en position assise.

Papillon arrière/extension des épaules

Se pencher régulièrement vers le bureau, l'ordinateur, le volant ou la poussette de bébé produit un effet cumulatif sur la posture. Le mouvement suivant vise à développer plusieurs muscles responsables de la posture et la région problématique de l'arrière du haut du bras.

Commencez au niveau 1, puis progressez à votre rythme aux niveaux 2 et 3	
NIVEAU 1	10 répétitions avec haltères de 1 kg (3 lb), 1 série
NIVEAU 2	12-15 répétitions avec haltères de 2 kg (5 lb), 1 série
NIVEAU 3	8-12 répétitions avec haltères de 4 kg (8 lb), 1 série

1 Avec un haltère dans chaque main, les paumes tournées vers l'intérieur, redressez la colonne, puis pliez vers l'avant dans une position neutre à partir des hanches jusqu'à ce que votre torse soit presque parallèle au sol.

2 Inspirez, puis, en expirant, élevez les bras de côté en ligne avec les épaules et à leur niveau. Gardez les coudes légèrement arrondis et les poignets droits. Maintenez la colonne en position neutre et les genoux légèrement pliés.

la colonne en position neutre

les genoux légèrement pliés

vous le ressentez ici

les bras à la hauteur des épaules

les bras
droits

les paumes
vers
l'intérieur

3 Inspirez et abaissez lentement les haltères en
position de départ, les bras droits et les paumes
vers l'intérieur. Vérifiez que votre colonne soit
toujours en position neutre.

levez les bras
derrière le dos

vous le
ressentez ici

les genoux
légèrement
pliés

4 À l'expiration suivante, levez les bras
derrière vous légèrement plus haut que
le dos. Les bras sont droits sans être
rigides, les genoux légèrement pliés.

CONSEIL DE JOAN

*Si vous avez des
problèmes de dos ou
que votre bassin n'est
pas assez puissant pour
stabiliser le torse en
position debout, exé-
cutez cet exercice
assise sur une chaise.*

Plus facile
Si vous avez des problèmes de
dos ou que votre bassin n'est pas
assez puissant pour stabiliser le
torse en position debout, exécutez
cet exercice assise sur une chaise.

Pompes à genoux

Commencez cette variante avancée des pompes classiques en vous mettant à genoux, les mains écartées de 8-10 cm (3-4 po) et un peu en avant des épaules. Mobilisez vos abdominaux pour garder le dos droit. Vous pouvez poser le bas des jambes sur sol et croiser les chevilles (ce que je préfère).

Commencez au niveau 1, puis progressez à votre rythme aux niveaux 2 et 3	
NIVEAU 1	5-8 répétitions (1 répétition = les deux côtés), 1 série
NIVEAU 2	10-12 répétitions, 1 série
NIVEAU 3	15-20 répétitions, 1 série

le dos droit

évitez d'exercer une pression directe sur les genoux

1 De la position de départ (petite photo), pliez les coudes vers les côtés à angle droit et abaissez la poitrine vers le sol.

la tête, le cou et la colonne alignés

les coudes à angle droit, formant une boîte

2 Expirez et redressez les bras pour revenir en montant à la position initiale. Tapez votre main droite sur la main gauche et reprenez la position. Répétez tel qu'indiqué, en changeant de côté.

la main droite sur la main gauche

Coup de pied arrière

Le coup de pied arrière classique isole les triceps d'un simple mouvement du bras. La présente version le rend plus intéressant parce que tout le corps est impliqué. Comme vos muscles travaillent ensemble pour équilibrer et stabiliser, leur fonctionnement ressemble davantage à ce qui se passe dans la vie quotidienne.

Commencez au niveau 1, puis progressez à votre rythme aux niveaux 2 et 3	
NIVEAU 1	10 répétitions avec haltère de 1 kg (3 lb), 1-2 séries
NIVEAU 2	12-15 répétitions avec haltère de 2 kg (5 lb), 1-2 séries
NIVEAU 3	8-12 répétitions avec haltère de 4-5kg (8-10 lb), 1-2 séries

1 À genoux et les mains sur le sol, étendez la jambe gauche vers l'arrière à hauteur de la hanche. Avec un haltère dans la main droite, pliez le coude à un angle de 90 degrés en bloquant le bras sur le côté, parallèle au sol.

le poignet sous l'épaule

le genou sous la hanche

vous le ressentez ici

la paume à l'intérieur, le poignet droit

2 Expirez et redressez le bras en arrière sans bloquer le coude, puis retournez à la position initiale avec le coude à 90 degrés. Répétez tel qu'indiqué, changez de côté et recommencez.

CONSEIL DE JOAN

Assurez-vous que les épaules et les hanches soient bien au-dessus du sol et que le torse soit parallèle.

Flexion concentrée

Travailler sur un bras de façon intensive vous fera découvrir tout déséquilibre dans la puissance de chacun des deux côtés du corps. Pour restaurer l'équilibre, commencez par votre côté le plus faible, ensuite passez au côté dominant, puis revenez au côté faible pour compléter l'exercice.

Commencez par le niveau 1, puis progressez à votre rythme aux niveaux 2 et 3	
NIVEAU 1	10 répétitions avec haltère de 2 kg (5 lb), 1-2 séries
NIVEAU 2	12-15 répétitions avec haltère de 4 kg (8 lb), 1-2 séries
NIVEAU 3	8-12 répétitions avec haltère de 5 kg (10 lb), 2-3 séries

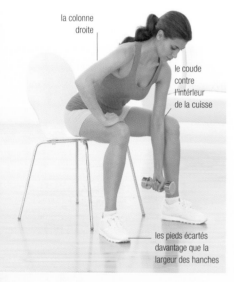

la colonne droite

le coude contre l'intérieur de la cuisse

les pieds écartés davantage que la largeur des hanches

1 Avec un haltère dans la main gauche, assoyez-vous sur l'avant d'une chaise. Posez la main droite sur le dessus de la cuisse droite et penchez-vous vers l'avant à partir de la hanche. Appuyez l'arrière du coude gauche contre l'intérieur de la cuisse et étendez le bras gauche vers le sol, la paume de la main tournée vers l'intérieur. Inspirez.

2 En expirant, pliez le coude gauche et contractez le biceps pour lever l'haltère en direction de l'épaule. Faites une pause, puis abaissez lentement l'haltère pour revenir à la position initiale tout en maintenant la tension dans le muscle. Répétez tel qu'indiqué, puis changez de côté et recommencez.

vous le ressentez ici

le poignet plat

Redressement complet

Cet exercice est une version intéressante du redressement pour les abdominaux parce qu'elle combine le développement du haut et du bas du grand dorsal (voir pp. 28-29) dans un seul mouvement. Lorsque vous avez commencé, gardez le muscle sous tension en ne vous arrêtant jamais dans la position de départ.

Commencez au niveau 1, puis progressez à votre rythme aux niveaux 2 et 3	
NIVEAU 1	10 répétitions, 1-2 séries
NIVEAU 2	12-15 répétitions, 1-2 séries
NIVEAU 3	20 répétitions, 1-2 séries

les genoux pliés à 90 degrés

vous le ressentez ici

les coudes écartés

les hanches légèrement soulevées

1 Étendez-vous sur le sol, les genoux pliés, les pieds à plat (petite photo). Pliez les coudes derrière la tête en plaçant le bout des doigts près des oreilles. Contractez les abdominaux pour arrondir les hanches en levant la tête, le cou et les épaules en même temps.

2 Gardez la tête levée quand vous relâchez les épaules et les hanches vers le sol, et tapez légèrement le sol avec les orteils. Répétez le mouvement tel qu'indiqué.

la tête demeure levée

gardez les abdominaux contractés

Torsion du torse avec haltère

Le mouvement de torsion fait travailler les obliques (voir pp. 28-29) sur les flancs. Cet exercice contribue à les raffermir et à donner une allure plus mince au torse. Amorcez les rotations du haut et du bas du corps avec le bassin en rentrant bien le nombril.

Commencez au niveau 1, puis progressez à votre rythme aux niveaux 2 et 3	
NIVEAU 1	10 répétitions avec haltère de 1 kg (3 lb), 1-2 séries
NIVEAU 2	12-15 répétitions avec haltère de 2 kg (5 lb), 1-2 séries
NIVEAU 3	12-15 répétitions avec haltère de 4 kg (8 lb), 1-2 séries

tenez l'haltère au-dessus de la poitrine

1 Étendez-vous sur le dos, les genoux à 90 degrés et les pieds à plat sur le sol. Tenez un haltère horizontalement et levez-le au-dessus de votre poitrine.

les genoux pliés à 90 degrés

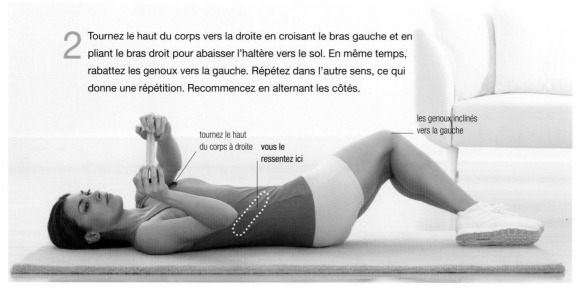

2 Tournez le haut du corps vers la droite en croisant le bras gauche et en pliant le bras droit pour abaisser l'haltère vers le sol. En même temps, rabattez les genoux vers la gauche. Répétez dans l'autre sens, ce qui donne une répétition. Recommencez en alternant les côtés.

les genoux inclinés vers la gauche

tournez le haut du corps à droite

vous le ressentez ici

Torsion du torse avec haltère, version avancée

Cette version accroît la résistance par l'élévation des jambes et du haut du corps. Collez les cuisses et les jambes, stabilisez le torse, puis respirez en cadence pour imprimer le rythme aux mouvements coordonnés des bras et des jambes.

Commencez au niveau 1, puis progressez à votre rythme aux niveaux 2 et 3	
NIVEAU 1	10 répétitions avec haltère de 1 kg (3 lb), 1-2 séries
NIVEAU 2	12-15 répétitions avec haltère de 2 kg (5 lb), 1-2 séries
NIVEAU 3	12-15 répétitions avec haltère de 4kg (8 lb), 1-2 séries

les genoux et les hanches à 90 degrés

1 Étendez-vous sur le dos, les genoux pliés au-dessus des hanches, les pieds vers le haut et les jambes parallèles au sol. Tenez un haltère horizontalement au-dessus de la poitrine, les coudes pliés à 90 degrés. Inspirez, puis, en expirant, compressez l'abdomen pour stabiliser le dos. Inspirez de nouveau.

2 En expirant, relevez le haut du corps vers l'avant, redressez les bras et portez l'haltère à la hauteur de la cuisse droite. En même temps, tournez les jambes vers la gauche en gardant les pieds et les chevilles collées. Inspirez pendant que vous revenez vers le centre et expirez en changeant de côté. Vous avez complété une répétition. Recommencez tel qu'indiqué.

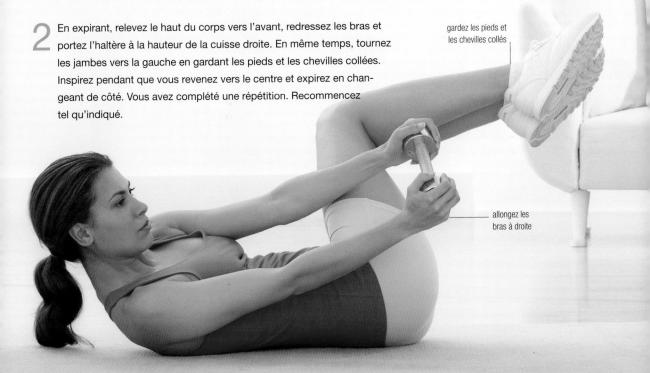

gardez les pieds et les chevilles collés

allongez les bras à droite

Les étirements donnent de l'énergie au corps et luttent contre le vieillissement en allongeant les muscles, ce qui vous gardera grande et droite. La flexibilité vous rend plus agile en gardant vos mouvements fluides et souples.

Exercices de
flexibilité

INTRODUCTION À LA **FLEXIBILITÉ**

La diminution de la flexibilité fait partie du processus normal de vieillissement, mais c'est un problème que vous pouvez atténuer peu importe votre âge. Quelques minutes d'étirements chaque jour peut aider à maintenir votre flexibilité, ce qui gardera vos muscles souples et combattra la fatigue et l'usure de la vie quotidienne. Vous conserverez ainsi une apparence jeune et un style de vie actif.

Qu'est-ce que la flexibilité ?

Votre capacité d'étirement dépend autant de la génétique que de vos habitudes quotidiennes. La structure unique des os et la longueur des tissus mous (muscles, tendons et ligaments) qui les entourent déterminent l'amplitude des mouvements des articulations. Certaines articulations, comme celles qui sont affectées par l'arthrite, peuvent devenir rigides ou moins fonctionnelles. D'autres, comme celles des contorsionnistes, sont extrêmement lâches et très mobiles. Mais nous devons toutes avoir assez de flexibilité pour fonctionner efficacement dans la vie quotidienne.

Les avantages des étirements

Rien ne vieillit plus l'apparence qu'une mauvaise posture et des mouvements brusques et malhabiles. La constante force de gravité et la déshydratation graduelle des tissus du corps rapetissent littéralement notre organisme. Les étirements peuvent restaurer cette hauteur perdue en allongeant les muscles autour de la colonne et en améliorant la mobilité du haut du dos. Aucun produit de beauté ne parviendra à vous rajeunir autant qu'une posture un peu plus droite.

Les muscles maintiennent l'alignement du squelette dans toutes les positions. Certains muscles ont une tendance naturelle à se compacter et à raccourcir, alors que d'autres deviennent longs et faibles. Les étirements peuvent aider à corriger ce déséquilibre et à améliorer l'alignement, ou ce qu'on pourrait appeler une posture avachie. Nous voyons régulièrement des gens dont la posture rabougrie se caractérise par un dos arrondi, des épaules tombantes et la tête en avant du corps. La solution, c'est d'étirer les muscles des épaules courts et tendus et de renforcer les muscles du cou et du dos longs et faibles.

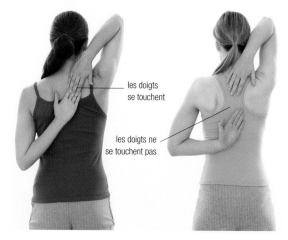

les doigts se touchent

les doigts ne se touchent pas

La capacité d'étirement varie selon les individus, certains d'entre nous étant plus flexibles. Vous allez peut-être aussi découvrir que vous êtes plus souple d'un côté que de l'autre. Essayez cet étirement.

Prévenir la douleur, les blessures et le stress

Un mauvaise posture et un alignement imparfait peuvent être source de douleur quand les muscles deviennent chroniquement fatigués, ce qui favorise les blessures. Les maux de tête, la tension dans le cou ou les épaules, la sciatique et les douleurs des hanches et des genoux peuvent être des symptômes. De plus, des muscles raccourcis sont plus vulnérables aux blessures causées par des mouvements simples. Cependant, en améliorant notre mobilité, les étirements accroissent notre efficacité dans toutes nos activités, ce qui diminue le besoin d'effort et nous laisse moins fatiguées.

Les étirements donnent aussi de l'énergie en soulageant la tension des muscles et en détendant l'esprit. Comme toutes celles qui ont fait du yoga le savent, maintenir un étirement réduit le stress et favorise la relaxation.

Comment s'étirer

Je suis très en faveur des étirements statiques qui ont pour objectif d'inciter le muscle à s'allonger. Étirez lentement jusqu'à ce que vous ressentiez une tension douce (sans douleur) au centre du muscle. Maintenez cette position : quand le muscle s'étire, une réaction nerveuse lui donne le signal de se contracter pour empêcher un étirement exagéré, mais après 20 secondes, l'influx nerveux diminue et le muscle se relaxe, ce qui vous permet de poursuivre l'étirement plus loin. Pour éviter les blessures, exercez-vous progressivement, et évitez toute torsion, tout pivotement et tout saut durant un étirement. Quand ils sont froids, les muscles sont moins souples et résistent à l'étirement. Réchauffez-les en faisant cinq minutes de jogging ou d'exercices rythmiques. Étirez toujours vos muscles après un exercice pour les allonger et prévenir la douleur ou la tension.

Concentrez-vous sur le muscle visé et prenez soin de stabiliser le reste de votre corps. Prenez votre temps et n'oubliez pas de respirer. Certaines personnes trouvent les étirements épuisants (ce sont généralement des gens dont les muscles sont tendus). Une bonne respiration vous aidera à relaxer durant l'étirement, en même temps qu'elle en permettra un plus complet.

bas du dos
flexible

bas du dos
moins flexible

les mains ont peine
à atteindre le sol

les mains
touchent au sol

La génétique et les habitudes de vie ont un effet sur le niveau de flexibilité. Même si vous n'êtes pas souple naturellement, vous pouvez vous améliorer et profiter d'exercices d'étirement réguliers. Faites-en une pratique quotidienne.

ÉTIREMENTS POUR **56-65** ANS

Faites ces exercices régulièrement pour accroître la flexibilité du bas du dos et des ischio-jambiers (voir pp. 28-29), et pour améliorer votre performance au test de flexibilité (voir pp. 22-23). L'exercice de bascule du bassin combine la compression abdominale avec une légère rotation des hanches, ce qui renforce l'abdomen et étire la colonne lombaire.

Bascule du bassin

1 Étendez-vous sur le dos, les genoux pliés, les pieds sur le sol et les bras sur les côtés. Votre colonne devrait être droite avec une légère courbe naturelle dans le bas du dos. Inspirez profondément pour gonfler votre ventre.

l'abdomen gonflé

la colonne en
position neutre

2 Expirez avec force, en rentrant les abdominaux. Dans un mouvement fluide, abaissez le bas du dos sur le sol et soulevez les hanches de 2,5 cm (1 po). Gardez la position durant 3 secondes et revenez lentement à la position de départ. Recommencez.
• **Répétitions :** 15-20

rentrez et contractez
les abdominaux

vous le ressentez ici

les hanches
légèrement au-
dessus du sol

Genou vers l'épaule

Commencez dans la même position qu'à l'exercice précédent. Inspirez pendant que vous saisissez votre cuisse avec vos mains. Tandis que vous expirez, tirez le genou vers votre épaule. Tenez 10 secondes. Revenez à la position initiale, changez de côté et recommencez.

● **Répétitions :** 1-3 (1 répétition = deux côtés)

vous le ressentez ici

Deux genoux vers la poitrine

1 Dans la même position qu'à l'exercice précédent, ramenez votre cuisse droite vers la poitrine, la main droite sous la cuisse ; puis, avec la main gauche, tirez le genou gauche à la même hauteur que le genou droit. Écartez légèrement les genoux.

2 Inspirez, puis, en expirant, tirez les deux genoux vers les épaules en élevant légèrement le bas du dos (2,5 cm –1 po). Gardez la position durant 3 secondes, puis reposez les hanches sur le sol et recommencez.

● **Répétitions :** 1-3

vous le ressentez ici

les hanches arrondies et soulevées du sol

vous le ressentez ici

Étirement des ischio-jambiers

1 Allongez-vous sur le sol, les genoux pliés à 90 degrés et les pieds à plat. Tout en conservant l'angle droit du genou, saisissez votre cuisse droite avec les deux mains et tirez doucement le genou vers la poitrine. Si les ischio-jambiers sont tendus, vous allez ressentir l'étirement dans cette position ; sinon complétez l'étirement.

vous le ressentez ici

2 Redressez le genou droit de telle sorte que la cuisse droite fasse un angle de 90 degrés avec le sol. Maintenez cette position 20 à 30 secondes, puis reposez le pied sur le sol et recommencez en changeant de côté.

● **Répétitions :** 1-3 (1 répétition = les deux côtés)

Étirement avancé
Étendez la jambe gauche pendant que vous élevez la jambe droite vers le plafond. Effectuez ce mouvement seulement si vous parvenez à garder droit le genou droit et à maintenir l'angle de 90 degrés.

vous le ressentez ici

le cou et les épaules détendues

Abaissement des genoux

les pieds à
plat sur le sol

les bras alignés
avec les épaules

1 Allongez-vous sur le dos, les genoux
à 90 degrés, les pieds à plat sur le
sol, les bras étirés alignés avec les
épaules et les paumes des mains
tournées vers le bas.

la tête tournée
à gauche

les pieds collés

les genoux abaissés à droite

2 Tout en gardant les pieds et les genoux collés, abaissez
les deux genoux vers le sol du côté droit et tournez la
tête dans l'autre direction. Gardez cette position 20 à
30 secondes, puis changez de côté et recommencez.
• **Répétitions :** 1-3 (1 répétition = les deux côtés)

Le sphinx

1 Allongez-vous sur un matelas, le front appuyé sur une serviette pliée pour assurer l'alignement de la tête et du cou avec la colonne. Repliez les bras et posez les avant-bras sur le sol, les paumes en bas. Rentrez le nombril.

la tête, le cou et la colonne alignés

les abdominaux mobilisés

2 Allongez la colonne en relevant la tête. Abaissez les omoplates en les contractant. Glissez les coudes vers l'avant pour qu'ils se trouvent directement sous les épaules quand vous lèverez le torse. Gardez les hanches solidement au sol. Respirez normalement. Gardez cette position 20 à 30 secondes.

vous le ressentez ici

vous le ressentez ici

les hanches posées fermement sur le sol

les coudes sous les épaules

La position de l'enfant

1 Agenouillez-vous sur un matelas ou sur une surface bien rembourrée, les genoux sous les hanches et les poignets sous les épaules.

la tête et le cou alignés avec la colonne

2 Assise sur les talons, penchez-vous vers l'avant jusqu'à ce que votre front touche au matelas, les bras allongés vers l'avant. Relaxez et abaissez-vous dans cette position. Maintenez la position 20 à 30 secondes.

vous le ressentez ici

le front sur le matelas

Dos rond/dos creux

1 À genoux sur le sol, les genoux sous les hanches et les poignets sous les épaules, pointez le nez vers le bas pour garder un bon alignement de la tête, du cou et de la colonne. Le dos devrait être droit, avec une légère courbe naturelle de la colonne.

le nez vers
le bas

les poignets sous
les épaules

les genoux sous
les hanches

2 En respirant normalement, arrondissez le dos vers le haut en laissant la tête tomber vers l'avant. Rentrez les hanches pour former un arc.

vous le
ressentez ici

les hanches
rentrées

la tête en bas
vers l'avant

3 Renversez la position en relevant la tête pour former un «C» avec le bas du dos. Si vous avez des problèmes au bas du dos, contentez-vous de maintenir la colonne droite sans trop l'étirer.

● **Répétitions :** 1-3

la tête relevée

le dos en forme de «C»

vous le ressentez ici

CONSEIL DE JOAN

Si vous avez des problèmes dans le bas du dos, diminuez l'amplitude des mouvements.

ÉTIREMENTS POUR **46-55** ANS

Faites des étirements chaque jour pour demeurer flexible malgré l'âge, surtout si votre corps est un peu rigide. Parce que les groupes de muscles des jambes sont plus gros que ceux du haut du corps, les étirements des jambes décrits dans les pages suivantes devraient être tenus durant 20 à 30 secondes pour permettre aux muscles de s'allonger. Respirez durant l'étirement, et expirez pour pousser l'étirement à sa limite.

Étirement de la poitrine

Étirement du milieu du dos et de l'arrière des épaules

vous le ressentez ici

levez les bras le plus haut possible

vous le ressentez ici

tirez vers l'avant avec les mains jointes

les genoux souples

Debout bien droite, la colonne allongée, relevez la poitrine et détendez les épaules. Regardez droit devant en maintenant le niveau du menton. Joignez les mains derrière et élevez lentement les bras le plus haut possible. Maintenez 10-15 secondes en respirant naturellement.

• **Répétitions :** 1-2

La colonne bien droite, étendez les bras vers l'avant au niveau des épaules. Croisez les poignets et joignez les mains en pointant les pouces vers le bas. Écartez les omoplates et étirez le plus possible vers l'avant.

• **Répétitions :** 1-2

Étirement du grand dorsal

Étirement des triceps

les doigts
entrecroisés

vous le
ressentez ici

étirez à partir
de la hanche

la tête au centre entre les bras

vous le
ressentez ici

Entrecroisez les doigts et tournez les paumes vers le haut. Redressez les coudes et levez les bras vers le plafond le plus haut possible. Maintenez 10-15 secondes.

• **Répétitions** : 1-2

Levez les bras vers le haut, puis croisez-les et saisissez vos coudes. La tête bien centrée entre les bras, étirez-vous à partir des hanches et penchez-vous de côté. Maintenez 10-15 secondes.

• **Répétitions** : 1-2 (1 répétition = les deux côtés)

Étirement des mollets

utilisez un mur comme support

vous le ressentez ici

abaissez le talon sous le niveau du marchepied

Debout sur le rebord du marchepied, enroulez les orteils du pied droit autour de la cheville gauche et abaissez le talon vers le sol. Maintenez la position 20-30 secondes sans bouger. Répétez de l'autre côté.

● **Répétitions :** 1-2 (1 répétition = les deux côtés)

Étirement des quadriceps

Debout, les pieds parallèles écartés de la largeur des hanches, pliez la jambe droite en arrière et tenez le pied (ou la cheville si vous n'en êtes pas capable) avec la main droite. Gardez le genou avant droit et la jambe gauche souple. Maintenez la position 20 à 30 secondes sans sauter. Répétez de l'autre côté.

● **Répétitions :** 1-2 (1 répétition = les deux côtés)

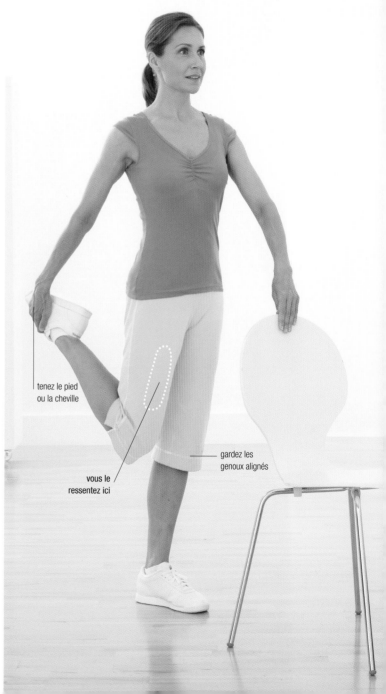

tenez le pied ou la cheville

vous le ressentez ici

gardez les genoux alignés

Étirement des grands adducteurs

rentrez le bassin

le genou
directement
au-dessus
de la hanche

vous le
ressentez ici

Debout en position de fente, le pied gauche bien appuyé sur la plate-forme, pliez le genou gauche directement au-dessus de la hanche en posant les mains sur les hanches. Finissez le mouvement sur la pointe du pied et rentrez le bassin pour étirer le grand adducteur droit. Tenez la position 20-30 secondes sans bouger. Répétez de l'autre côté.

- **Répétitions :** 1-2 (1 répétition = les deux côtés)

Étirement des ischio-jambiers

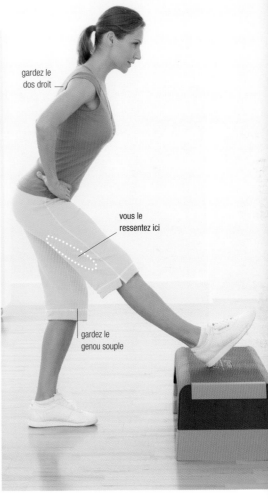

gardez le
dos droit

vous le
ressentez ici

gardez le
genou souple

Étendez la jambe droite pour déposer le talon sur la plateforme, les orteils tournés vers le haut. Fléchissez légèrement le genou gauche. Redressez-vous, puis penchez-vous vers l'avant à partir des hanches en conservant le dos droit. Tenez 20-30 secondes sans sautiller. Répétez de l'autre côté.

- **Répétitions :** 1-2 (1 répétition = les deux côtés)

ÉTIREMENTS POUR **36-45** ANS

Les étirements sur le ballon d'équilibre peuvent être très efficaces parce que le ballon supporte le corps, ce qui ne force pas les articulations et vous permet de mieux compléter les mouvements. Assurez-vous d'être bien installée sur le ballon et que vous avez la bonne manière de regagner la position de départ (voir pp. 34-35). S'il y a lieu, n'oubliez pas d'étirer les deux côtés également.

Dos renversé sur le ballon

Avant d'essayer cet étirement complet de la colonne, commencez par l'étirement de la poitrine en position couchée (voir encadré au bas de la page), plus classique. Si vous vous sentez à l'aise en effectuant cet exercice et que vous souhaitez exécuter un étirement plus complet, levez les bras au-dessus de la tête et dressez les jambes, puis faites rouler le ballon sous la colonne pendant que vous vous arquez. Étirez les bras jusqu'au sol aussi loin que possible sans ressentir de douleur. Maintenez 15-30 secondes.

• **Répétitions :** un seul étirement

CONSEIL DE JOAN *Attention : n'effectuez pas cet étirement si vous avez des problèmes de dos.*

Les pieds écartés de la largeur des hanches

Le bout des doigts sur le sol

Étirement en position couchée
Couchez-vous sur le dos de façon à ce que votre tête, votre cou et vos épaules reposent sur le ballon. Avec les hanches relevées, vous faites le pont. Étirez les bras vers l'extérieur pour former un grand «V» sous le niveau des épaules en tournant les paumes vers le haut. Variez la position des bras pour ressentir l'étirement dans plusieurs angles différents.

Position de l'enfant et rotation du tronc

1 Agenouillez-vous sur un matelas, les genoux écartés de la largeur des hanches et les bras allongés sur le dessus du ballon en ligne avec les épaules. Assoyez-vous sur les talons et continuez à avancer les mains jusqu'à ce que vous ressentiez un bon étirement dans la poitrine et les épaules. Maintenez 15-30 secondes.

vous le ressentez ici

les genoux écartés de la largeur des hanche

2 De la position précédente, roulez le ballon vers la droite en tournant le torse légèrement. La main gauche sera sur le ballon et la droite près du sol. Gardez les hanches abaissées, votre poids reposant sur vos talons et votre tête se trouvant au centre entre vos bras. Tenez la position 15-30 secondes et changez de côté.

• **Répétitions :** un étirement dans chaque position

la tête au centre entre les bras

le poids sur les talons

Étirement des obliques en position assise

Étirement des ischio-jambiers en position assise

regardez en direction de la main

vous le ressentez ici

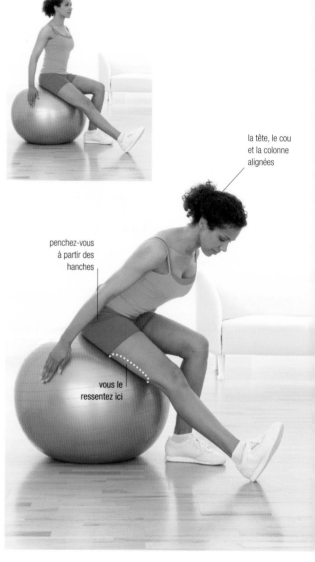

la tête, le cou et la colonne alignées

penchez-vous à partir des hanches

vous le ressentez ici

Assise sur le ballon en position neutre (voir p. 34), contractez les abdominaux et penchez-vous vers l'arrière en gardant la colonne droite. Levez-vous sur les orteils, élevez la main droite au-dessus de la tête et regardez en direction de la main. Croisez le bras gauche sur le genou droit et tournez légèrement en vous étirant. Maintenez 15-30 secondes, puis changez de côté.

● **Répétitions** : 1 étirement de chaque côté

Assoyez-vous bien droite sur le ballon, les pieds écartés de la largeur des hanches. Étendez la jambe droite vers l'avant en gardant la gauche pliée (petite photo). Penchez-vous à partir des hanches en gardant la colonne droite jusqu'à ce que vous ressentiez l'étirement de l'ischio-jambier à l'arrière de la cuisse droite. Gardez la position 15-30 secondes, puis répétez de l'autre côté.

● **Répétitions** : 1 étirement de chaque côté

Étirement des hanches en position assise

En position assise, étendez la jambe droite derrière vous. Pressez les orteils sur le plancher pour stabiliser la position. Gardez le genou gauche plié au-dessus de la cheville. Pour accroître l'étirement, roulez le ballon vers l'avant, Maintenez 15-30 secondes. Changez de côté et recommencez.

- **Répétitions :** 1 étirement de chaque côté

regardez droit devant

vous le ressentez ici

pressez les orteils sur le sol

CONSEIL DE JOAN

En rentrant les hanches, vous ferez avancer le ballon de 2,5 à 5 cm (1-2 po), ce qui accroît l'étirement.

Étirement en forme de 4 (extérieur de la cuisse)

Commencez en position allongée, les talons reposant sur le ballon. Croisez la cheville gauche sur le genou droit (ce qui forme le chiffre 4) et attirez le ballon vers vous avec le pied droit jusqu'à ce que vous ressentiez l'étirement dans l'extérieur de la cuisse. Maintenez 15-30 secondes, puis recommencez de l'autre côté.

- **Répétitions :** 1 étirement de chaque côté

étirement de l'extérieur de la cuisse gauche

ÉTIREMENTS POUR **26-35** ANS

Inspirée du yoga, cette séquence fluide assure un étirement complet du corps au fur et à mesure que vous effectuez les mouvements. Au lieu d'étirer séparément des parties du corps, les différentes positions visent plusieurs groupes de muscles, leur apprenant à travailler ensemble et augmentant la souplesse et l'équilibre musculaires. Maintenez chaque position durant 15-30 secondes.

Séquence du guerrier modifiée

les bras levés vers le plafond

vous le ressentez ici

vous le ressentez ici

pressez le talon sur le sol

vous le ressentez ici

les paumes vers le bas

1 Commencez en position de fente, la jambe droite en avant. Raidissez la jambe arrière et pressez le talon sur le sol. Entrecroisez les pouces et levez les bras vers le plafond. Gardez la tête centrée entre les coudes.

2 Les pieds toujours dans la même position, la jambe droite devant et le talon gauche sur le plancher, abaissez les bras sur les côtés au niveau des épaules, les paumes des mains vers le bas.

3 Les bras toujours sur les côtés et le pied droit pointant vers l'avant, faites pivoter le pied gauche à 90 degrés et tournez tout le torse d'un quart de tour vers la gauche.

étirez le bras de côté au-dessus de la tête

vous le ressentez ici

tournez le pied gauche vers l'extérieur

4 En gardant le genou gauche plié, placez la main droite sur la cuisse droite et étirez la main gauche au-dessus de la tête en faisant un mouvement de côté.

Suite à la page suivante ▶

vous le
ressentez ici

5 Redressez le torse et revenez au centre, les jambes toujours écartées et les bras sur les côtés à
la hauteur des épaules, paumes vers le bas (voir
position 2).

le genou au-
dessus de
la cheville

6 Les pieds toujours dans la même position, la jambe
droite en avant et le talon gauche sur le sol, posez
les mains sur les hanches et penchez-vous vers
l'avant à partir des hanches. Maintenez la colonne
droite jusqu'à ce que votre dos soit parallèle au sol.

pliez à partir
des hanches

vous le
ressentez ici

7 Revenez à la position debout et transférez votre poids vers l'avant sur la jambe droite. Pliez la jambe gauche pour étirer le quadriceps ; tenez le pied gauche derrière vous avec la main gauche. Avancez le bras droit à hauteur de l'épaule, la paume vers le bas pour assurer un meilleur équilibre. Répétez toute la séquence (1 à 7) en changeant de côté.

● **Répétitions :** 1 séquence de chaque côté, en gardant chaque position 15-30 secondes

Gardez les genoux alignés

Pour assurer un meilleur équilibre
Si vous avez de la difficulté à maintenir votre équilibre dans cette position, utilisez une chaise ou un autre objet comme appui.

Votre vitalité et votre qualité de vie dépen-
dent de l'efficacité de votre système cardiovasculaire. Le cœur est un muscle qui se
renforce avec l'entraînement, ce qui améliore
votre capacité de fonctionner tous les jours.
Plus vous pouvez être active, plus vous êtes
« jeune ».

Exercices
cardio

L'ENTRAÎNEMENT **CARDIO**

Un cœur en santé est l'élément le plus important de la forme physique. En renforçant le cœur et les poumons, les exercices aérobiques réguliers augmentent l'endurance, réduisent les risques de maladies cardiaques, abaissent la pression artérielle et améliorent les niveaux de cholestérol. C'est aussi un facteur clé dans le contrôle du poids, ce qui contribue à raffermir votre corps quand vous amincissez.

Un cœur sain est plus efficace, il pompe vers les muscles en fonction plus de sang et d'oxygène à chaque battement. Pour qu'il devienne plus fort, il faut l'exercer comme tous les autres muscles, c'est-à-dire en fréquence, en intensité et en durée (voir p. 12).

Types d'exercices

Toute forme d'activité qui comporte la contraction continue et régulière d'un groupe de muscles (les jambes, le dos, les bras) durant plus de cinq minutes est considérée comme «aérobique», ce qui signifie littéralement «avec de l'oxygène». Une grande variété d'activités peuvent entrer dans cette catégorie, comme la danse, la marche rapide, le jogging ou la course à pied, le cyclisme, le patinage, le ski, la natation ou même monter des escaliers pour n'en mentionner que quelques-unes.

Pour nos programmes cardio, j'ai choisi la marche parce que c'est une activité de loisir populaire et que c'est une forme d'exercice à la portée de tous. Si vous choisissez un autre type d'entraînement, vous pouvez toujours suivre les conseils qui s'appliquent à la marche. Chaque programme de marche de huit semaines poursuit un objectif différent pour améliorer votre forme cardiovasculaire.

Zones de rythmes cardiaques d'entraînement (méthode Karvonen : 60-80 % du rythme cardiaque de réserve)									
Rythme cardiaque au repos	**Âge** 25–29	30–34	35–39	40–44	45–49	50–54	55–59	60–64	plus de 65
moins de 50	133–164	130–160	127–156	124–152	121–148	118–144	115–140	112–136	109–134
50–54	135–165	132–161	129–157	126–153	123–149	120–145	117–141	114–137	111–135
55–59	137–166	134–162	131–158	128–154	125–150	122–146	119–142	116–138	113–136
60–64	139–167	136–163	133–159	130–155	127–151	124–147	121–143	118–139	115–137
65–69	141–168	138–164	135–160	132–156	129–152	126–148	123–144	120–140	117–138
70–74	143–169	140–165	137–161	134–157	131–153	128–149	125–145	122–141	119–139
75–79	145–170	142–166	139–162	136–158	133–154	130–150	127–146	124–142	121–140
80–85	147–171	144–167	141–163	138–159	135–155	132–151	129–147	126–143	123–141
plus de 85	149–172	146–168	143–164	140–160	137–156	134–152	131–148	128–144	125–142

Fréquence, intensité, durée

Tout dépend de vos objectifs. Pour améliorer la santé et réduire les risques de maladies cardiaques, on recommande généralement 30 minutes de marche rapide (ou un autre exercice léger-modéré) la plupart des jours de la semaine. Si vous ne pouvez le faire d'une traite, accumulez les 30 minutes par des séances plus courtes. Certains experts recommandent de faire 10 000 pas par jour (environ 8 km). Pour le conditionnement cardiovasculaire, vous devez effectuer 20-30 minutes dans vos zones d'entraînement (voir ci-dessous) trois fois par semaine. Pour perdre du poids, 45-60 minutes d'exercice modéré sont nécessaires chaque jour.

Votre zone d'entraînement

Votre zone détermine quelle quantité de travail vous devez effectuer aux niveaux léger, modéré ou de haute intensité. La formule traditionnelle de «220 moins votre âge» fournit une estimation de votre rythme cardiaque maximum (RCM), c'est-à-dire la vitesse à laquelle battra votre cœur quand vous serez complètement épuisée par l'exercice. Comme personne ne peut maintenir long-temps un tel rythme, nous prenons 65-95 % du RCM pour établir des zones d'entraînement en continu, de faible à haute intensité.

Par exemple, une femme de 40 ans aura un RCM de 180 battements par minute (220 moins 40). Ses rythmes cardiaques d'entraînement seront alors :
- 65 % de 180 = 117
- 75 % de 180 = 135
- 85 % de 180 = 153
- 95 % de 180 = 171

Sa zone d'entraînement léger sera donc de 117-135, d'entraînement modéré, de 135-153, et d'entraînement intensif, de 153-171. Cette formule peut s'appliquer sans danger à tout le monde, même aux personnes âgées ou aux femmes qui ne font que commencer à faire de l'exercice.

La méthode Karvonen

La méthode Karvonen calcule le rythme cardiaque de réserve, en tenant compte du rythme cardiaque au repos. Cette méthode s'applique aussi bien aux plus

---

Évaluer les exercices par la perception de l'effort

Une façon simple de vérifier si votre entraînement est suffisam-ment énergique pour améliorer votre forme cardiaque consiste à mesurer votre «perception de l'effort» (PE). On classe ainsi les exercices de 1 à 10 en fonction de votre perception globale de l'effort, ce qui comprend le stress physique et la fatigue que vous ressentez.

Vous pouvez aussi utiliser le «test de la parole», une mesure simple d'intensité fondée sur l'essoufflement. Vous devez être capable de parler mais pas de chanter. Si vous ne pouvez parler, l'exercice est trop intensif ; si vous pouvez chanter, il est trop léger.

L'échelle qui suit associe les deux modes d'évaluation, soit la perception de l'effort et le test de la parole.

PE 1 Exercice très léger, on peut chanter à haute voix, aucun effet sur le rythme cardiaque

PE 2-3 Exercice léger, on peut parler facilement, rythme cardiaque d'échauffement ou de décompression

PE 4-5 Exercice modérément léger, parler requiert un petit effort, 40-50 % du rythme cardiaque de réserve

PE 6-7 Exercice un peu ardu ou ardu, parler requiert un bon effort, 60-70 % du rythme cardiaque de réserve

PE 8-9 Exercice très difficile, parler demande un énorme effort, 80-90 % du rythme cardiaque de réserve

PE 10 Effort maximal, impossible de parler, 100 % du rythme cardiaque de réserve

---

jeunes qu'aux personnes en bonne forme. Prenons cette femme de 40 ans avec un rythme maximum de 180 et un rythme au repos de 70. La réserve est la différence entre le rythme maximum et le rythme au repos, soit dans ce cas 110. La véritable formule est un peu complexe, mais ne vous inquiétez pas, nous avons fait tout le travail pour vous dans la page précédente. Notez que les chiffres sont plus bas que dans l'exemple précédent, parce que cette formule donne des zones d'entraînements plus exigeantes.

Une fois que vous aurez découvert vos zones d'entraînement, procurez-vous un appareil qui mesure les battements du cœur pour vous assurer que vous êtes au bon niveau.

Préparation pour la marche

Tout ce dont vous avez besoin, c'est une bonne paire de chaussures de marche. Choisissez une chaussure avec un talon bien ferme pour la stabilité, bien rembourré au talon, des semelles flexibles pour faciliter le mouvement du talon aux orteils et assez grande pour que les orteils puissent se déployer lors de la poussée. Vos orteils devraient pouvoir bouger librement.

Les souliers de course ne sont pas idéaux pour la marche parce qu'ils sont conçus pour des impacts plus lourds et violents. La semelle épaisse est trop rigide pour la marche, peut causer des ampoules et souffrir des accidents de terrain.

Essayez vos chaussures en fin de journée quand vos pieds ont enflé légèrement et portez les bas que vous avez l'intention de porter pour la marche. Vous devriez vous sentir à l'aise dès que vous les mettez ; ne laissez pas un vendeur vous convaincre qu'il faut les « briser ».

Quand il fait très froid, couvrez-vous la tête et portez des gants. Portez plusieurs couches de vêtements que vous pourrez facilement enlever ou remettre en route. Vous devriez ressentir un léger refroidissement en sortant

de la maison, mais vous sentirez la chaleur rapidement par la suite. Protégez votre peau contre le soleil et évitez la chaleur du milieu de la journée.

N'oubliez pas de boire beaucoup d'eau avant, durant et après votre séance de marche ; dès que vous ressentez la soif durant un exercice, c'est que vous êtes sur le point de vous déshydrater, ce qui peut affecter votre performance et votre santé. Emportez une bouteille

Exercices pour renforcer le bas des jambes

Les muscles du bas des jambes ont besoin d'être développés pour suivre les puissants muscles des cuisses.

Marche sur les talons

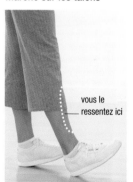

vous le ressentez ici

Marche sur les orteils

vous le ressentez ici

En marchant sur les talons, vous renforcez les jambiers antérieurs devant les tibias ; c'est aussi un bon exercice pour le coup de talon en marchant.

La marche sur les orteils renforce les soléaires dans les mollets ; c'est aussi un bon exercice pour développer la poussée.

Posture correcte pour la marche

Cette posture réduit les risques de blessure et de fatigue et maximise les bénéfices. Utilisez la force du bassin pour maintenir le tronc droit.

les bras pliés à 90 degrés

poitrine relevée

les bras avancent en opposition avec les jambes

déposez le talon en premier, puis déroulez le pied

Bien droite, la tête au centre, le menton droit et les yeux qui regardent devant, dressez la poitrine et relâchez les épaules vers le bas et l'arrière. Contractez les abdominaux et maintenez la colonne en position neutre dans le bas du dos. Pliez les bras à 90 degrés

d'eau et buvez-en quatre gorgées toutes les 20 minutes durant une longue marche. Des crampes musculaires et des points sur les côtés peuvent provoquer de l'inconfort en cours de marche. Si vous avez une crampe, étirez le muscle en accroissant la tension dans le muscle opposé. Si vous avez une crampe dans le mollet par exemple, contractez les muscles du devant de la jambe en ancrant votre pied sous un objet stable (ou en le tenant avec l'autre talon) et en tentant de plier le pied. Dans le cas d'un point, ralentissez, respirez profondément et massez la région près du diaphragme.

Pour améliorer la technique de marche

L'action du pied dans la marche implique le talon qui se pose sur le sol, puis un mouvement de déroulement qui emmène les orteils au sol, suivi d'une poussée des orteils. Déposez naturellement le talon, puis déroulez le pied pour arquer la plante du pied jusqu'aux orteils et poussez pour commencer le pas suivant.

La longueur des enjambées variera en fonction de votre taille et de la rapidité de la marche. Pour avoir une bonne idée de votre enjambée normale, joignez les deux pieds et penchez-vous vers l'avant à partir des chevilles. Quand vous commencez à perdre l'équilibre, avancez une jambe et notez à quel endroit le pied s'est posé. Quand vous serez plus expérimentée et que vous désirerez augmenter la cadence, vous devrez raccourcir vos enjambées pour accroître la vitesse.

Développez votre technique de marche en faisant les exercices décrit à la page précédente. Faites 10-20 pas sur les talons, puis 10-20 pas sur les orteils. Enfin, répétez le mouvement de déroulement du pied.

Pour augmenter votre vitesse, travaillez sur la poussée. Chaque fois que vous déposez le pied, faites contact avec le talon puis avec la plante du pied, et donnez une forte poussée avec les orteils. Il arrive souvent qu'on lève le pied trop rapidement, ce qui cause une perte d'accélération. Gardez le pied en contact avec le sol le plus longtemps possible. Ajoutez le mouvement des bras, qui doivent se balancer en opposition aux jambes. Pour accroître le rythme, accélérez le mouvement des bras. Les jambes suivront la cadence des bras.

Étirements après la marche

Votre exercice ne sera complet que lorsque vous aurez fait des étirements et bu un verre d'eau. Tenez chaque étirement 20-30 secondes sans sautiller et n'oubliez pas d'étirer les deux jambes.

Étirement des quadriceps

Tenez-vous sur la jambe gauche, le genou souple. Pliez la jambe droite et, en tenant la cheville ou le talon, tirez vers les fesses.

Étirement des ischio-jambiers

Tenez-vous sur la jambe gauche, le genou plié. Étendez la jambe droite vers l'avant et déposez le talon sur le sol. Penchez-vous vers l'avant à partir de la hanche.

Étirement des mollets

Faites une grande enjambée vers l'arrière avec la jambe droite et appuyez le talon sur le sol. Pliez la jambe gauche, le genou directement au-dessus de la cheville

Étirement des tibias

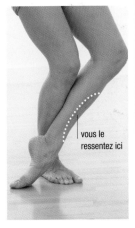

Croisez la jambe gauche devant la droite, le dessus du pied gauche sur le sol. Pliez la jambe droite pour exercer de la pression sur le mollet gauche.

PROGRAMME DE MARCHE POUR **56–65** ANS

Ce programme est conçu pour celles qui commencent à s'entraîner ou qui y reviennent après une longue absence. L'objectif est de conditionner votre système cardiovasculaire et les muscles pour qu'ils s'adaptent facilement aux exigences de l'exercice. Progressivement, vous ferez des séances plus longues à intensité basse ou modérée. Ne vous inquiétez pas de la distance parcourue ni de la vitesse.

Les avantages de la marche pour la santé

Des études récentes ont démontré que la marche peut réduire les risques de cancer du sein et de fracture de la hanche, ainsi que diminuer le gras abdominal (associé aux maladies du cœur) et atténuer les maux de dos. Marcher 30 minutes chaque jour et réduire à 10 heures par semaine le temps passé devant la télévision peut réduire de manière significative les nouveaux cas d'obésité et de diabète. Tous ces problèmes de santé affectent votre corps et limitent votre capacité de fonctionnement et de maintenir un style de vie actif.

Les spécialistes de la santé recommandent que chaque adulte pratique au moins 30 minutes d'activité physique modérée presque tous les jours de la semaine. Cependant, les études prouvent que trois périodes de 10 minutes ou deux de 15 entraînent les mêmes effets bénéfiques. Vous pouvez donc choisir cette solution. Dans la mesure du possible, essayez d'être constante dans le nombre et la durée ; par exemple, 10 minutes le matin, 10 minutes à l'heure du midi et 10 minutes dans la soirée. Si vous faites déjà de l'exercice dans la journée, vous pouvez partir de ce que vous faites déjà.

Intégrer l'exercice à votre vie

Pour que ce programme soit couronné de succès, choisissez le moment de la journée qui est le plus commode pour vous. Si vous avez du temps libre le matin, marchez à ce moment, avant que ne surviennent les distractions de la journée. Comme il y aura toujours des distractions, faites de l'exercice une priorité.

Certaines personnes aiment marcher à la fin de la journée pour relaxer et faciliter la digestion du souper. Une exercice rythmé et léger dans la soirée a un effet

---

Au début

- Si vous êtes une débutante, échelonnez votre programme et n'en faites pas trop au début.

- Durant les semaines 1-3, visez un indice de perception de l'effort (PE) de 2-3, ce qui constitue un niveau d'échauffement (voir p. 145). Durant la semaine 4, passez au niveau 4-5 ; consacrez les cinq premières et les cinq dernières minutes de la séance à l'échauffement et à la décompression.

- Réduisez le rythme si vous découvrez que vous êtes incapable de parler avec le ton de la conversation, s'il faut plus de cinq minutes à votre cœur pour retrouver son rythme normal ou si vous ressentez de la douleur ou avez de la difficulté à respirer.

- N'oubliez pas de faire les exercices d'étirement d'après-marche après chaque séance (voir p. 147).

---

tranquillisant ; une courte promenade peut donc vous aider à dormir, mais un exercice plus vigoureux pourrait trop vous stimuler et nuire à votre sommeil.

La marche est hautement adaptable, car les choix de lieux sont multiples. Si vous marchez dans les rues d'une ville, portez des chaussures bien rembourrées et méfiez-vous des obstacles comme les nids-de-poule ou les bordures ébréchées. Dans les parcs urbains, choisissez une période du jour où il y a d'autres gens. Les pistes d'athlétisme présentent des surfaces souples, bonnes pour les genoux, et il y est facile de mesurer la distance parcourue. Les tapis roulants ont l'avantage d'être uniformes, de présenter des surfaces confortables, des vitesses et des inclinaisons réglables, ainsi que des indicateurs de temps, de distance et de calories. Ils ont aussi l'avantage d'être à l'abri des intempéries.

56-65 programme-type de base pour 8 semaines

emaine	Lundi	Mardi	Mercredi	Jeudi	Vendredi	Samedi	Dimanche
1 séances de 15-18 minutes	15 min PE 2-3	15 min PE 2-3	15 min PE 2-3	18 min PE 2-3	18 min PE 2-3	18 min PE 2-3	Repos
2 séances de 20-22 minutes	20 min PE 2-3	20 min PE 2-3	20 min PE 2-3	22 min PE 2-3	22 min PE 2-3	22 min PE 2-3	Repos
3 séances de 25-30 minutes	25 min PE 2-3	25 min PE 2-3	25 min PE 2-3	30 min PE 2-3	30 min PE 2-3	30 min PE 2-3	Repos
4 séances de 15-18 minutes	15 min PE 4-5	15 min PE 4-5	15 min PE 4-5	18 min PE 4-5	18 min PE 4-5	18 min PE 4-5	Repos
5 séances de 20-22 minutes	20 min PE 4-5	20 min PE 4-5	20 min PE 4-5	22 min PE 4-5	22 min PE 4-5	22 min PE 4-5	Repos
6 séances de 25-28 minutes	25 min PE 4-5	25 min PE 4-5	25 min PE 4-5	28 min PE 4-5	28 min PE 4-5	28 min PE 4-5	Repos
7 séances de 30 minutes	30 min PE 4-5	30 min PE 4-5	30 min PE 4-5	30 min PE 4-5	30 min PE 4-5	30 min PE 4-5	Repos
8 séances de 40 minutes	40 min PE 4-5	40 min PE 4-5	40 min PE 4-5	40 min PE 4-5	40 min PE 4-5	40 min PE 4-5	Repos

PE = indice de perception de l'effort (voir p. 145)

PROGRAMME DE MARCHE POUR **46-55** ANS

Une fois que vous êtes bien habituée à la marche et que vous marchez 30 minutes six fois par semaine, au niveau 4-5 (voir le programme précédent), vous êtes prête à augmenter le rythme. Le programme qui suit requiert de marcher sur une piste dont vous connaissez la distance pour que vous puissiez comparer les résultats.

Les avantages des exercices aérobiques

Les exercices aérobiques sont essentiels pour perdre du poids, et vous brûlerez plus de calories en marchant de plus longues distances à une vitesse plus rapide. Par exemple, une femme qui pèse 65,8 kg (145 lb) et qui marche 30 minutes à une vitesse rapide de 6 km/h brûlera 157 calories, alors qu'à une vitesse de 5 km/h, elle n'en brûlera que 114.

Ce sont les exercices aérobiques soutenus qui font dépenser le plus de calories. Le mouvement rythmique des grands groupes de muscles force le corps à dépenser énormément de calories pour poursuivre l'activité. Quatre cent cinquante grammes (1 lb) de graisse corporelle contiennent 3 500 calories. En faisant plus d'exercice quotidiennement pour brûler 300 calories et en mangeant 200 calories de moins par jour, vous pouvez perdre 450 grammes (1 lb) de graisse en une semaine.

Vouloir maigrir en suivant seulement un régime n'est pas bon pour la santé parce qu'il y a des risques d'abaisser le métabolisme, d'accroître l'appétit et de réduire la masse corporelle maigre. Par contre, l'exercice accroît le métabolisme, joue contre l'appétit et préserve les tissus musculaires. Le poids perdu durant l'exercice vient prioritairement de la perte de graisse. Si vous faites de l'exercice régulièrement, vous réduirez la graisse qui se concentre un peu partout dans le corps et vous développerez plutôt des muscles vigoureux et maigres. Le gain en tissu musculaire maigre et la perte de la graisse excédentaire donnent un corps plus svelte et plus harmonieux peu importe la perte de poids.

De nouvelles recherches soulignent un autre avantage important des exercices aérobiques : pendant que vous réduisez votre tour de taille, vous combattez aussi l'accumulation des graisses viscérales qui entourent les organes et qui accroissent les risques de maladie

---

Conseils pour la marche modérée à rapide

- Pliez les bras à 90 degrés et gardez les coudes près du corps. Gardez les mains détendues en ne fermant pas les poings. Faites bouger les bras à partir des épaules, pas des coudes.

- Bougez les bras avec plus de force pour accroître le tempo (pour augmenter la cadence, augmentez tout simplement la vitesse des bras et les jambes suivront).

- Le mouvement des bras doit être pendulaire et non latéral. Assurez-vous que vos bras ne croisent pas le corps.

- Pour accélérer, réduisez vos enjambées. Faites de plus petits pas plus rapides et bougez les bras avec plus d'énergie.

- Concentrez-vous sur une respiration bien rythmée synchronisée avec vos pas.

---

cardiaque (voir pp. 14-15). Non seulement vos vêtements vous iront mieux et votre estime de vous-même s'améliorera, mais en plus vous vivrez plus longtemps pour profiter de votre corps plus jeune.

Échauffement et décompression

Commencez chaque séance par un échauffement de cinq minutes. Le meilleur échauffement consiste à faire l'activité que vous avez choisie (ici, la marche) lentement pour préparer les muscles impliqués à un travail plus exigeant. Idéalement, si vous avez le temps, vous ferez des étirements après l'échauffement et avant votre exercice aérobique. Si ce n'est pas possible, commencez tout de suite votre exercice. Prenez soin de décompresser à la fin en ralentissant la cadence. Après l'exercice, faites des étirements (voir pp. 150-151). Si vous avez le temps de ne vous étirer qu'une seule fois, faites-le à la fin de l'activité.

46-55 programme-type de marche modérée à rapide pour 8 semaines

Semaine	Lundi	Mardi	Mercredi	Jeudi	Vendredi	Samedi	Dimanche
1 **séances de 30 minutes**	échauffement : 5 min 1,6 km (1 mi) : 20 min décompression : 5 min	échauffement : 5 min 1,6 km (1 mi) : 20 min décompression : 5 min	échauffement : 5 min 1,6 km (1 mi) : 20 min décompression : 5 min	échauffement : 5 min 1,6 km (1 mi) : 20 min décompression : 5 min	échauffement : 5 min 1,6 km (1 mi) : 20 min décompression : 5 min	échauffement : 5 min 1,6 km (1 mi) : 20 min décompression : 5 min	Repos
2 **séances de 40 minutes**	échauffement : 5 min 2,4 km (1,5 mi) : 30 min décompression : 5 min	échauffement : 5 min 2,4 km (1,5 mi) : 30 min décompression : 5 min	échauffement : 5 min 2,4 km (1,5 mi) : 30 min décompression : 5 min	échauffement : 5 min 2,4 km (1,5 mi) : 30 min décompression : 5 min	échauffement : 5 min 2,4 km (1,5 mi) : 30 min décompression : 5 min	échauffement : 5 min 2,4 km (1,5 mi) : 30 min décompression : 5 min	Repos
3 **séances de 50 minutes**	échauffement : 5 min 3,2 km (2 mi) : 40 min décompression : 5 min	échauffement : 5 min 3,2 km (2 mi) : 40 min décompression : 5 min	échauffement : 5 min 3,2 km (2 mi) : 40 min décompression : 5 min	échauffement : 5 min 3,2 km (2 mi) : 40 min décompression : 5 min	échauffement : 5 min 3,2 km (2 mi) : 40 min décompression : 5 min	échauffement : 5 min 3,2 km (2 mi) : 40 min décompression : 5 min	Repos
4 **séances de 48 minutes**	échauffement : 5 min 3,2 km (2 mi) : 38 min décompression : 5 min	échauffement : 5 min 3,2 km (2 mi) : 38 min décompression : 5 min	échauffement : 5 min 3,2 km (2 mi) : 38 min décompression : 5 min	échauffement : 5 min 3,2 km (2 mi) : 38 min décompression : 5 min	échauffement : 5 min 3,2 km (2 mi) : 38 min décompression : 5 min	échauffement : 5 min 3,2 km (2 mi) : 38 min décompression : 5 min	Repos
5 **séances de 46 minutes**	échauffement : 5 min 3,2 km (2 mi) : 36 min décompression : 5 min	échauffement : 5 min 3,2 km (2 mi) : 36 min décompression : 5 min	échauffement : 5 min 3,2 km (2 mi) : 36 min décompression : 5 min	échauffement : 5 min 3,2 km (2 mi) : 36 min décompression : 5 min	échauffement : 5 min 3,2 km (2 mi) : 36 min décompression : 5 min	échauffement : 5 min 3,2 km (2 mi) : 36 min décompression : 5 min	Repos
6 **séances de 44 minutes**	échauffement : 5 min 3,2 km (2 mi) : 34 min décompression : 5 min	échauffement : 5 min 3,2 km (2 mi) : 34 min décompression : 5 min	échauffement : 5 min 3,2 km (2 mi) : 34 min décompression : 5 min	échauffement : 5 min 3,2 km (2 mi) : 34 min décompression : 5 min	échauffement : 5 min 3,2 km (2 mi) : 34 min décompression : 5 min	échauffement : 5 min 3,2 km (2 mi) : 34 min décompression : 5 min	Repos
7 **séances de 42 minutes**	échauffement : 5 min 3,2 km (2 mi) : 32 min décompression : 5 min	échauffement : 5 min 3,2 km (2 mi) : 32 min décompression : 5 min	échauffement : 5 min 3,2 km (2 mi) : 32 min décompression : 5 min	échauffement : 5 min 3,2 km (2 mi) : 32 min décompression : 5 min	échauffement : 5 min 3,2 km (2 mi) : 32 min décompression : 5 min	échauffement : 5 min 3,2 km (2 mi) : 32 min décompression : 5 min	Repos
8 **séances de 40 minutes**	échauffement : 5 min 3,2 km (2 mi) : 30 min décompression : 5 min	échauffement : 5 min 3,2 km (2 mi) : 30 min décompression : 5 min	échauffement : 5 min 3,2 km (2 mi) : 30 min décompression : 5 min	échauffement : 5 min 3,2 km (2 mi) : 30 min décompression : 5 min	échauffement : 5 min 3,2 km (2 mi) : 30 min décompression : 5 min	échauffement : 5 min 3,2 km (2 mi) : 30 min décompression : 5 min	Repos

(km = kilomètre)

PROGRAMME DE MARCHE POUR **36-45** ANS

Pour entraîner votre cœur et le rendre capable de supporter des niveaux élevés d'effort, vous devez intensifier vos exercices. Mais avant d'entamer ce programme de haute intensité qui ajoute des périodes courtes et intenses à des séances de rythme plus modéré, vous devez avoir atteint un niveau de préparation solide, par exemple avoir effectué le programme des deux pages précédentes.

Travailler dans votre zone d'entraînement

On obtient les meilleurs résultats dans les exercices cardiovasculaires quand on reste dans sa zone. Si le rythme cardiaque est trop bas, c'est que vous ne forcez pas assez ; s'il est trop élevé, vous ne pourrez supporter l'activité et vous vous épuiserez rapidement. Au fur et à mesure que votre niveau de forme s'améliorera, votre corps deviendra plus efficace ; vous pourrez alors fournir plus d'efforts en maintenant un rythme cardiaque plus bas.

Ajouter des plages de haute intensité

Le travail plus exigeant est déterminé par deux facteurs : l'intensité et la durée. Vous pouvez accroître l'intensité soit en augmentant le rythme, soit en montant des côtes qui offrent de la résistance.

Pour mesurer l'intensité, vous pouvez vous référer à un niveau dans votre zone de rythme cardiaque d'entraînement ou à l'indice de perception de l'effort qui y correspond (voir p. 145).

En général, pour déterminer l'organisation des plages de plus haute intensité, on recommande de se reposer deux fois plus longtemps qu'a duré l'effort intense. Si vous effectuez une minute d'effort intense, reposez-vous deux minutes, et ainsi de suite.

Attention : la plupart des experts déconseillent d'utiliser des poids dans les mains ou aux chevilles pour accroître l'intensité de la marche à cause du risque de forcer les articulations.

Les avantages des entraînements intensifs

Travailler au niveau le plus élevé de votre zone d'entraînement comporte beaucoup d'effets positifs pour la santé. Une étude récente a établi un lien entre l'entraînement

---

Fonctionnement du programme de marche des 36-45 ans

• Tout au long de ce programme, qui comprend des périodes de plus haute intensité, la durée des séances augmente. La première semaine commence par une marche de 30 minutes au niveau 6-7 qui va se transformer en marche de 50 minutes à la huitième semaine.

• L'intensité des exercices aussi s'accroît. Aux deux jours, nous incluons des périodes qui consistent en courts segments d'exercice de haute intensité, puis de basse intensité. Par exemple, 1 minute au niveau 8-9 alternant avec 2 minutes au niveau 4-5 dans la première semaine. L'intensité s'accroît à 3 minutes à 8-8 alternant avec 6 minutes à 4-5 dans la quatrième semaine.

• Chaque séance dans ce programme commence par un échauffement de 10 minutes fait de 5 minutes au niveau 2-3 et de 5 minutes au niveau 4-5. Elle se termine par 5 minutes de décompression au niveau 2-3.

---

intensif et la longévité. Si vous voulez perdre du poids, c'est aussi une manière plus efficace de le faire parce que plus l'activité est intensive, plus vous brûlez de calories.

Technique de marche en puissance

Utilisez les trucs qui suivent pour passer de la marche modérée (5 km/h) ou de la marche rapide (6 km/h) à la marche en puissance (7 km/h) :

• Faites des pas plus courts et plus rapides.
• Concentrez-vous sur la poussée.
• Exécutez des mouvements rapides et puissants avec les bras.
• Penchez-vous légèrement vers l'avant à partir des chevilles, pas des hanches.
• Marchez sur une ligne blanche imaginaire comme si vous marchiez sur un fil tendu.

36-45 programme-type de 8 semaines fractionné avec travail à haute intensité

emaine	Lundi	Mardi	Mercredi	Jeudi	Vendredi	Samedi	Dimanche
1 séances de 30 minutes	30 min à pas réguliers, PE 6-7	échauffement : 10 min 5 x 1 min à PE 8-9 alternant avec 5 x 2 min à PE 4-5 décompression : 5 min	30 min à pas réguliers, PE 6-7	échauffement : 10 min 5 x 1 min à PE 8-9 alternant avec 5 x 2 min à PE 4-5 décompression : 5 min	30 min à pas réguliers, PE 6-7	échauffement : 10 min 5 x 1 min à PE 8-9 alternant avec 5 x 2 min à PE 4-5 décompression : 5 min	Repos
2 séances de 30 minutes	30 min à pas réguliers, PE 6-7	échauffement : 10 min 5 x 1 min à PE 8-9 alternant avec 5 x 2 min à PE 4-5 décompression : 5 min	30 min à pas réguliers, PE 6-7	échauffement : 10 min 5 x 1 min, PE 8-9 alternant avec 5 x 2 min à PE 4-5 décompression : 5 min	30 min à pas réguliers, PE 6-7	échauffement : 10 min 5 x 1 min à PE 8-9 alternant avec 5 x 2 min à PE 4-5 décompression : 5 min	Repos
3 séances de 45 minutes	45 min à pas réguliers, PE 6-7	échauffement : 10 min 5 x 2 min à PE 8-9 alternant avec 5 x 4 min, PE 4-5 décompression : 5 min	45 min à pas réguliers, PE 6-7	échauffement : 10 min 5 x 2 min à PE 8-9 alternant avec 5 x 4 min à PE 4-5 décompression : 5 min	45 min à pas réguliers, PE 6-7	échauffement :10 min 5 x 2 min à PE 8-9 alternant avec 5 x 4 min à PE 4-5 décompression : 5 min	Repos
4 séances de 45 minutes	45 min à pas réguliers, PE 6-7	échauffement : 10 min 5 x 2 min à PE 8-9 alternant avec 5 x 4 min à PE 4-5 décompression : 5 min	45 min à pas réguliers, PE 6-7	échauffement : 10 min 5 x 2 min à PE 8-9 alternant avec 5 x 4 min à PE 4-5 décompression : 5 min	45 min à pas réguliers, PE 6-7	échauffement :10 min 5 x 2 min à PE 8-9 alternant avec 5 x 4 min à PE 4-5 décompression : 5 min	Repos
5 séances de 45 minutes	45 min à pas réguliers, PE 6-7	échauffement : 10 min 3 x 3 min à PE 8-9 alternant avec 3 x 6 min à PE 4-5 décompression : 5 min	45 min à pas réguliers, PE 6-7	échauffement :10 min 3 x 3 min à PE 8-9 alternant avec 3 x 6 min à PE 4-5 décompression : 5 min	45 min à pas réguliers, PE 6-7	échauffement :10 min 3 x 3 min à PE 8-9 alternant avec 3 x 6 min à PE 4-5 décompression : 5 min	Repos
6 séances de 45 minutes	45 min à pas réguliers, PE 6-7	échauffement : 10 min 3 x 3 min à PE 8-9 alternant avec 3 x 6 min à PE 4-5 décompression : 5 min	45 min à pas réguliers, PE 6-7	échauffement : 10 min 3 x 3 min à PE 8-9 alternant avec 3 x 6 min à PE 4-5 décompression : 5 min	45 min à pas réguliers, PE 6-7	échauffement : 10 min 3 x 3 min à PE 8-9 alternant avec 3 x 6 min à PE 4-5 décompression : 5 min	Repos
7 séances de 50 minutes	50 min à pas réguliers, PE 6-7	échauffement :10 min 4 x 3 min à PE 8-9 alternant avec 4 x 6 min à PE 4-5 décompression : 5 min	50 min à pas réguliers, PE 6-7	échauffement : 10 min 4 x 3 min à PE 8-9 alternant avec 4 x 6 min à PE 4-5 décompression : 5 min	50 min à pas réguliers, PE 6-7	échauffement : 10 min 4 x 3 min à PE 8-9 alternant avec 4 x 6 min à PE 4-5 décompression : 5 min	Repos
8 séances de 50 minutes	50 min à pas réguliers, PE 6-7	échauffement : 10 min 4 x 3 min à PE 8-9 alternant avec 4 x 6 min à PE 4-5 décompression : 5 min	50 min à pas réguliers, PE 6-7	échauffement : 10 min 4 x 3 min à PE 8-9 alternant avec 4 x 6 min à PE 4-5 décompression : 5 min	50 min à pas réguliers, PE 6-7	échauffement : 10 min 4 x 3 min à PE 8-9 alternant avec 4 x 6 min à PE 4-5 décompression : 5 min	Repos

PE = indice de perception de l'effort (voir p. 145)

PROGRAMME DE MARCHE POUR **26-35** ANS

Si vous suivez une bonne routine d'exercices cardiovasculaires, vous devrez la varier pour continuer à faire des progrès. Peu importe votre niveau de forme, votre corps va s'adapter à toute forme d'exercice et vous atteindrez un plateau. Que vous cherchiez à perdre du poids, à devenir plus forte ou à développer des aptitudes sportives, le secret est de continuellement mettre votre corps au défi.

Modifier la routine

Quand vous effectuez la même routine durant plus que quelques mois, les systèmes cardiovasculaire et musculaire cessent de s'améliorer parce qu'ils n'ont plus besoin de le faire. À n'importe quel niveau de forme cependant, vous pouvez améliorer vos résultats en modifiant des variables de fréquence, d'intensité ou de durée, ou encore le type d'exercice que vous pratiquez. Par exemple, si vous pratiquez la marche, mettez-vous au cyclisme ou à la natation. Techniquement, on parle d'entraînement par cycles selon divers objectifs. Par exemple, vous suivez un des programmes de 8 semaines proposés dans ce livre, puis vous en adoptez un autre, ou encore vous changez votre routine journalière comme dans le programme de marche qui suit.

Améliorer les résultats

Contrairement aux programmes cardio qui n'ont qu'un seul objectif, celui-ci combine des éléments de distance, de vitesse et de fractionné. Cette combinaison fournit le stimulus nécessaire au changement et peut vous aider à atteindre vos objectifs, que ce soit perdre du poids, augmenter votre endurance cardiovasculaire ou accroître votre vitesse de marche.

Il est utile de connaître vos zones de rythme cardiaque d'entraînement pour déterminer l'intensité appropriée à chaque exercice. Déterminez quels sont vos niveaux – bas, moyen et élevé – en utilisant une des deux formules décrites à la page 144. Une fois que vous serez habituée à prendre votre pouls et à l'associer à votre perception subjective de l'effort, vous pourrez facilement trouver l'intensité requise. Souvenez-vous seulement que plus votre forme s'améliorera, plus vous aurez à travailler fort pour atteindre le même niveau d'effort.

Pour suivre le programme des 26-35

• Comme dans le programme précédent, les séances incorporent des segments de haute et de basse intensité. Dans ce programme cependant, les jours des entraînements fractionnés varient afin d'assurer une amélioration cardiovasculaire continue.

• Comme dans le programme précédent, chaque séance débute par un échauffement de 10 minutes composé de 5 minutes au niveau 2-3 et de 5 minutes au niveau 4-5. Chaque séance se termine par 5 minutes de décompression au niveau 2-3.

• Quand vous aurez atteint un certain niveau de forme physique, il est important de vérifier que vous travaillez au bon niveau d'intensité de façon à améliorer davantage votre condition cardiovasculaire. Un moniteur de fréquence cardiaque pourrait vous aider à reculer les limites de votre système cardiovasculaire.

S'entraîner en sécurité

Il faut toujours 10 minutes d'échauffement et 5 minutes de décompression après une séance. La décompression doit toujours se faire lentement après un exercice vigoureux. Arrêter soudainement pourrait concentrer le sang dans les poumons, ralentissant son retour au cerveau et provoquant des étourdissements. Pour récupérer sans danger et confortablement d'un exercice exténuant, faites une activité physique légère jusqu'à ce que votre rythme cardiaque revienne sous les 120 battements par minute avant de vous arrêter complètement.

Avertissement : si vous êtes essoufflée ou étourdie après un exercice ou si vous ressentez une fatigue ou une faim anormale, réduisez l'intensité de l'exercice.

26–35 programme de 8 semaines pour reculer les limites de votre défi cardio

Semaine	Lundi	Mardi	Mercredi	Jeudi	Vendredi	Samedi	Dimanche
1 séances de 30-60 minutes	60 min à pas réguliers, PE 6-7	échauffement: 10 min 5 x 1 min à PE 8-9 alternant avec 5 x 2 min à PE 4-5 décompression: 5 min	45 min à pas réguliers, PE 6-7	échauffement: 10 min 5 x 2 min à PE 8-9 alternant avec 5 x 4 min à PE 4-5 décompression: 5 min	60 min à pas réguliers, PE 6-7	échauffement: 10 min 5 x 1 min à PE 8-9 alternant avec 5 x 2 min à PE 4-5 décompression: 5 min	Repos
2 séances de 30-60 minutes	45 min à pas réguliers, PE 6-7	60 min à pas réguliers, PE 6-7	échauffement: 10 min 5 x 1 min à PE 8-9 alternant avec 5 x 2 min à PE 4-5 décompression: 5 min	45 min à pas réguliers, PE 6-7	échauffement: 10 min 5 x 2 min à PE 8-9 alternant avec 5 x 4 min à PE 4-5 décompression: 5 min	60 min à pas réguliers, PE 6-7	Repos
3 séances de 30-60 minutes	échauffement: 10 min 5 x 1 min à PE 8-9 alternant avec 5 x 2 min à PE 4-5 décompression: 5 min	45 min à pas réguliers, PE 6-7	60 min à pas réguliers, PE 6-7	échauffement: 10 min 3 x 3 min à PE 8-9 alternant avec 3 x 6 min à PE 4-5 décompression: 5 min	45 min à pas réguliers, PE 6-7	échauffement: 10 min 4 x 3 min à PE 8-9 alternant 4 x 6 min à PE 4-5 décompression: 5 min	Repos
4 séances de 30-60 minutes	60 min à pas réguliers, PE 6-7	45 min à pas réguliers, PE 6-7	échauffement: 10 min 5 x 1 min à PE 8-9 alternant avec 5 x 2 min à PE 4-5 décompression: 5 min	60 min à pas réguliers, PE 6-7	échauffement: 10 min 3 x 3 min à PE 8-9 alternant avec 3 x 6 min à PE 4-5 décompression: 5 min	45 min à pas réguliers, PE 6-7	Repos
5 séances de 30-60 minutes	échauffement: 10 min 4 x 3 min à PE 8-9 alternant avec 4 x 6 min à PE 4-5 décompression: 5 min	60 min à pas réguliers, PE 6-7	45 min à pas réguliers, PE 6-7	échauffement: 10 min 3 x 3 min à PE 8-9 alternant avec 3 x 6 min à PE 4-5 décompression: 5 min	45 min à pas réguliers, PE 6-7	60 min à pas réguliers, PE 6-7	Repos
6 séances de 30-60 minutes	45 min à pas réguliers, PE 6-7	échauffement: 10 min 3 x 3 min à PE 8-9 alternant avec 3 x 6 min à PE 4-5 décompression: 5 min	60 min à pas réguliers, PE 6-7	échauffement: 10 min 4 x 3 min à PE 8-9 alternant avec 4 x 6 min à PE 4-5 décompression: 5 min	45 min à pas réguliers, PE 6-7	échauffement: 10 min 5 x 1 min à PE 8-9 alternant avec 5 x 2 min à PE 4-5 décompression: 5 min	Repos
7 séances de 30-60 minutes	60 min à pas réguliers, PE 6-7	échauffement: 10 min 5 x 1 min à PE 8-9 alternant avec 5 x 2 min à PE 4-5 décompression: 5 min	échauffement: 10 min 4 x 3 min à PE 8-9 alternant avec 4 x 6 min à PE 4-5 décompression: 5 min	45 min à pas réguliers, PE 6-7	60 min à pas réguliers, PE 6-7	échauffement: 10 min 5 x 2 min à PE 8-9 alternant avec 5 x 4 min à PE 4-5 décompression: 5 min	Repos
8 séances de 30-60 minutes	échauffement: 10 min 3 x 3 min à PE 8-9 alternant avec 3 x 6 min à PE 4-5 décompression: 5 min	60 min à pas réguliers, PE 6-7	échauffement: 10 min 5 x 2 min à PE 8-9 alternant avec 5 x 4 min à PE 4-5 décompression: 5 min	60 min à pas réguliers, PE 6-7	45 min à pas réguliers, PE 6-7	échauffement: 10 min 5 x 1 min à PE 8-9 alternant avec 5 x 2 min à PE 4-5 décompression: 5 min	Repos

PE = indice de perception de l'effort (voir p. 145)

INDEX

REMERCIEMENTS

Remerciements de l'auteure

Je remercie particulièrement tous ceux qui m'ont soutenue, ma famille, mes amis, mes clientes et mes collègues. À James qui m'a gâté avec son amour et sa cuisine, à ma sœur Lucy qui s'est investie quand la tâche s'est compliquée et à ma mère qui m'a donné une raison d'y croire. À Jackie qui m'a indiqué la bonne direction il y a tellement d'années. Merci à mes clientes pour leurs encouragements et leurs conseils. Finalement, merci à mes collègues autant dans le domaine du conditionnement physique que dans celui de l'édition pour leur enthousiasme et leur générosité.

Merci à la maison d'édition DK d'avoir mis sur pied une équipe aussi formidable. À Mary-Claire Jerram et Carl Raymond pour m'avoir donné la chance de produire ce livre et à Jenny Jones pour ses conseils judicieux. Merci à Gillian Roberts qui travaille en coulisse, à Irene pour sa capacité de résoudre les problèmes avec talent et son sens aigu de l'organisation, à Miranda pour sa merveilleuse direction artistique et à Ruth qui a donné vie aux photos. Et merci à tous nos magnifiques mannequins qui ont toujours dit « Je vais essayer ».

Remerciements de l'éditeur

Dorling Kindersley tient à remercier la photographe Ruth Jenkinson et ses assistantes Sarah, Emma, Vicki et Jono ; Vic Riley de Touch Studios qui a rendu tout si facile ; les mannequins Resi Harris, Denny Kemp, Sheri Staplehurst et Sally Way ; Roishin Donaghy pour la coiffure et le maquillage ; Rebecca Markley pour son aide lors des séances de photos ; Hilary Bird pour l'index ; Sonia Charbonnier pour son soutien à l'éditique. Un merci particulier à Totally Fitness, qui nous a prêté le ballon d'équilibre. © DK Images pour toutes les images. Plus de plus amples informations, voir www.dkimages.com.

Crédit

Les normes en pages 25-26 sont adaptées du *YMCA Fitness and Assessement Manuel, 4th ed.* Avec l'autorisation du YMCA des États Unis.

À PROPOS DE L'AUTEURE

Joan Pagano est diplômée du Connecticut College et détient un certificat en enseignement en santé et conditionnement physique du American College of Sports Medecine, qui accrédite les professionnels les plus compétents. Elle a travaillé comme entraîneuse personnelle à New York depuis 1988, conseillant des personnes à différents niveaux de forme physique. Elle a conçu des centaines de programmes d'entraînement pour des individus, des groupes, des établissements de conditionnement physique, des écoles, des entreprises et des hôpitaux.

Aujourd'hui, Joan dirige son propre groupe de spécialistes du conditionnement physique, le Joan Pagano Fitness Group. Durant plusieurs années, elle fut directrice du programme d'entraînement personnel du Marymount College. Elle y enseigne toujours les techniques d'évaluation de la condition physique. Elle donne aussi des cours de formation continue pour les entraîneurs.

Sa connaissance des questions de santé féminine est venue naturellement de son travail. Les femmes lui font confiance pour les guider dans des périodes de transition importantes comme la grossesse, l'accouchement ou la maladie. Comme conseillère d'un groupe de soutien pour les femmes atteintes du cancer du sein, elle a travaillé avec des survivantes de ce cancer depuis 1992. Préoccupée par la ménopause, Joan a décidé d'étudier comment l'exercice pourrait contrer l'ostéoporose. Joan est maintenant reconnue par l'industrie comme une des grandes spécialistes des programmes d'exercices relatifs à l'ostéoporose.